Rosa's ponyvrienden

Ook van Yvonne Kroonenberg

Rosa's verzorgpony

Yvonne Kroonenberg

Rosa's ponyvrienden

Leopold / Amsterdam

www.yvonnekroonenberg.nl

AVI 7 / M6

Eerste druk 2010

Omslagontwerp: Petra Gerritsen
Omslagfoto: Mark Sassen
Zetwerk: Studio Cursief
Uitgeverij Leopold, Amsterdam / www.leopold.nl
ISBN 978 90 258 5566 6 / NUR 283

Uitgeverij Leopold drukt haar boeken op papier met het FSC-keurmerk. Zo helpen we waardevolle oerbossen te behouden.

Inhoud

Fris

Op het schoolbord in de kantine staan de namen van de pony's met daarachter die van de kinderen die erop rijden en hun lestijd. Rosa zoekt haar naam. Die staat bij Tiptop, om drie uur. Ze glimlacht. Tiptop is een vriendelijke, rustige pony.

'Wie heb ik?' vraagt Donna die naast Rosa komt staan.

'Mirke,' zegt Rosa. 'O kijk! Dorrit loopt weer.'

Dorrit is een kleine zandkleurige pony die kreupel is geweest. Ze had een ontsteking in haar hoef.

'Sem!' roept Donna. 'Je hebt Dorrit!'

Een jongen met kort donker haar en een sportjack staat bij het raam naast de bar. Hij kijkt naar zijn buurjongetje Bertil. Die rijdt in de beginnersles. Iedere woensdag haalt Sem hem op, want hij mag nog niet alleen fietsen.

'Echt waar?' vraagt Sem. 'Is Dorrit weer beter?'

'Het staat op het bord,' zegt Donna.

Sem steekt zijn vuist in de lucht. 'Yes!' roept hij.

'Ze zal wel fris zijn,' zegt Rosa bezorgd. Dorrit kan wild zijn omdat ze lekker uitgerust is. Als het koud is, zijn pony's ook vaak fris. Dan bokken ze of gaan ze er ineens vandoor. Vandaag is het ook koud en er staat een harde wind. Rosa heeft flink moeten trappen op de heenweg.

'Geeft niks,' zegt Sem. 'Ik ben niet bang van Dorrit.'

Donna rilt. 'Ik ben blij dat ik Mirke heb!'

'Mirke kan anders ook bokken,' zegt Sem.

'Dat doet ze bijna nooit. Ze geeft soms een piepgeluid en dan maakt ze een sprongetje,' zegt Donna. 'Dat is niet echt eng.'

'Wie heb jij?' vraagt Sem aan Rosa, terwijl hij naar het

bord tuurt. 'Ik zie het al, Tiptop. Die is braaf.'

Gea komt de kantine in. Ze doet net of ze niemand ziet en gaat op een barkruk zitten.

'Barbara!' roept ze. 'Kan ik wat bestellen?'

De bazin van de kantine kijkt op. Ze staat broodjes klaar te maken.

'Ik ben even bezig, ik kom zo,' zegt ze.

Gea trommelt op de bar.

'Ik heb haast. Ik moet poetsen!'

'Ik kom al.' Barbara zucht en loopt met schommelende heupen naar Gea toe, terwijl ze haar handen aan haar schort afveegt. Rosa ziet dat haar mondhoeken naar beneden wijzen. Barbara houdt niet van verwende kinderen.

'Eén cola,' zegt Gea.

Sem, Donna en Rosa lopen tegelijk de kantine uit, alsof ze het zo hebben afgesproken. Donna gaat naar Mirke. Die staat als derde op de stand, de lange rij pony's op stal. Alle pony's hebben een halster om, dat met een touw aan de muur vastzit. Ze hebben allemaal hun eigen drinkbakje en een eigen voerbak, zodat ze precies weten welke ruimte van hen is.

Voor Rosa Tiptop gaat poetsen, loopt ze snel bij Gea's pony Zefir langs. Hij staat in een box, net als de andere pensionpaarden. Gea zit cola te drinken, dus die merkt het niet. Zo vaak het kan, knuffelt Rosa haar vroegere verzorgpony. Zefir kent haar nog goed, dat kun je merken. Hij briest als hij haar ziet en steekt zijn neus naar haar uit om te ruiken of ze iets lekkers heeft meegebracht.

'Kijk, Zefie, ik heb een stukje wortel,' fluistert Rosa.

Als hij het op heeft, legt ze haar handen om zijn zachte neus.

BIJT!!! staat met grote letters op zijn box. Zefir kan inderdaad bijten, maar dat doet hij alleen als hij schrikt. Hij heeft

Rosa nooit gebeten. Wel naar haar gehapt, maar dat bedoelt hij niet zo lelijk.

Rosa kijkt om zich heen. Zou ze genoeg tijd hebben om even de box in te stappen? Ze maakt de deur open en gaat bij Zefir staan. Die legt even zijn oren plat, maar zet ze dan meteen weer rechtop. Hij ruikt dat er nog wat lekkers in Rosa's zak zit.

'Hier, schat.' Rosa geeft hem nog een schijfje wortel. Ze heeft de schijfjes schuin afgesneden, zodat ze niet in een ponykeel kunnen blijven steken. Met dat soort dingen moet je altijd rekening houden. Er kan van alles mis gaan.

Ze laat haar hand door Zefirs blonde manen glijden. Hij is een haflinger, een droompony om te zien, en hij is heerlijk om op te rijden. Maar dan moet je zelf heel rustig zijn. En niet snauwen, zoals Gea vaak doet.

Bij die gedachte stapt Rosa gauw de box uit. Voor geen goud wil ze dat die trut haar bij Zefir ziet staan.

Precies op tijd is ze bij hem weg. Net als ze haar hoevenkrabber pakt om de mest uit de groeven in Tiptops hoeven te halen, komt Gea de stal in lopen. Ze kijkt niet naar de pony's op de stand en beent meteen door naar haar eigen pony.

Even later hoort Rosa haar vloeken. Ze hoeft niet te gaan kijken om te weten wat er in de box van Zefir gebeurt. Als je ruw met hem doet of te zenuwachtig, wordt hij boos of bang. Dat ziet er bij hem hetzelfde uit: dan probeert hij te bijten.

Rosa pakt de rosborstel en wrijft rondjes tegen de haargroei in om de losse haren uit Tiptops vacht te borstelen. Tiptop is een merenspony. Zijn voorouders komen uit de Pyreneeën, de hoge bergen tussen Frankrijk en Spanje. Ze zijn zwart en ze lijken een beetje op Friese paarden, alleen zijn ze veel kleiner.

Tiptop snuffelt voorzichtig aan Rosa's jaszak.

‘Straks,’ zegt ze. ‘Als we klaar zijn met rijden. Dan krijg je alle wortels die ik over heb.’

‘De kinderen die klaar zijn met zadelen, mogen naar binnen!’ klinkt de stem van Tamara, die de baas is op stal. Ze maakt de grote houten deur naar de binnenrijbaan open.

Sem loopt voorop met Dorrit, dan komen Gea met Zefir en Donna met Mirke. Rosa loopt met Tiptop achter twee andere meisjes die meerijden in deze les. Ze draait zich half om en kijkt of er nog meer ruiters zijn. Achter haar komt nog een meisje, Karin. Zij rijdt nog maar pas met de half-gevorderden mee. Ze heeft kort blond haar en is twaalf jaar, iets ouder dan Rosa.

‘Wie heb jij?’ vraagt ze aan Rosa.

‘Tiptop,’ antwoordt Rosa verbaasd. Er zijn veel pony’s die op elkaar lijken, vooral de drie vosjes, de oranjebruine pony’s. Karin rijdt zelf op een van de drie, Hermelien. Maar Tiptop met zijn lange zwarte manen en de lange vacht boven zijn hoeven herken je meteen.

‘Ik heb Hermien,’ zegt Karin.

‘Hermelien!’ verbetert Rosa.

Ze gaan de rijbaan in.

‘Deur vrij!’ roept Karin.

De beginners van de vorige les zijn al afgestegen. Ze staan naast hun pony’s te wachten tot alle half-gevorderden binnen zijn.

Rosa zwaait even naar Bertil, maar die ziet haar niet. Hij staat vlak naast Simba en streelt haar hals. Bertil is helemaal ponygek. Dat is bijzonder voor een jongen. Sem vindt paardrijden ook hartstikke leuk, maar hij is niet knuffelig met Dorrit, zoals Bertil.

Tamara neemt de beginners mee de rijbaan uit, terwijl Axel de kinderen helpt met opstijgen. Rosa heeft geen hulp nodig. Tiptop blijft rustig wachten. Maar Dorrit staat altijd te draaien en te happen.

'Prr!' zegt Axel, terwijl hij een rukje aan de teugel geeft.

'Zet haar maar meteen flink aan het werk, Sem! Ze kan een beetje fris zijn.'

Een béétje fris? denkt Rosa. De les is nog maar net begonnen als Dorrit haar eerste kunstjes vertoont. Bij de tribune doet ze net of ze iets engs ziet en springt weg. En bij het eerste drafje van de les maakt ze een bokkensprong. Sem moet erom lachen. Maar Gea, die achter hem rijdt, is boos.

'Hou die pony een beetje in bedwang!' roept ze.

'Gea, je mag gerust afwenden als je te dicht op een ander komt,' zegt Axel kalm. 'We gaan drie voltes rijden, een bij A, een bij C en een op het midden van de lange zijde, met Karin aan het hoofd.'

'Wat moeten we doen?' roept Karin benauwd.

'Drie grote cirkels,' legt Axel uit. 'De eerste maak je bij A, bij de tribune. Kom op, Karin, je bent geen beginner meer. Je weet toch waar de letters liggen?'

Maar Karin is helemaal in de war. Ze begint aan een volte, maar maakt hem te klein, zodat ze bijna tegen Zefir aan loopt.

Rosa ziet het nu al: dit gaat niet goed. Zefir geeft een bokje. Gea begint te schreeuwen en trekt haar teugels daarbij zo hard aan dat Zefir nu echt bokt.

Mirke, die achter Zefir loopt, piept en springt uit de rij. Donna stuurt haar meteen op een kleine cirkel. Nu draaft Dorrit met Sem erop achter Zefir. Zodra Dorrit ziet dat er wat te beleven valt, maakt ze een enorme sprong en danst bokkend door de bak.

'In stap!' roept Axel nog. Maar daar trekken Dorrit en Zefir zich niets van aan. Gea valt onmiddellijk van haar pony. Ze valt niet hard, maar ze begint meteen te huilen en blijft rechtop in het zand zitten. Sem houdt het nog heel even vol op Dorrit, maar dan valt ook hij.

Rosa hoort een doffe klap. 'Sem!' wil ze schreeuwen, maar dat mag niet. Pony's schrikken van harde stemmen. Ze klemt haar handen om de teugels. Tiptop begint te dribbelen. Zo goed ze kan haalt ze adem en laat de teugels los. Tiptop blijft meteen staan.

Rosa kijkt langzaam achter zich, naar de hoek waar het ongeluk is gebeurd. Sem ligt bewegingloos in het zand.

Axel rent naar hem toe. Hij hoeft geen *halt!* te commanderen. Iedereen blijft vanzelf staan. Zefir komt naar Rosa toe.

Die buigt zich over Tiptops hals om de teugel van de haflinger te pakken.

'Braaf!' fluistert ze bevend en houdt hem zonder hard te trekken bij zich.

Dorrit heeft nog even rondgesprongen, maar blijft dan ook staan. Niemand zegt iets. Axel knielt bij Sem, die even heeft gekreund en overeind wil komen. Zachtjes duwt hij hem terug. Hij pakt zijn mobiele telefoon en belt kort. Dan staat hij op en loopt naar Gea. In het voorbijgaan pakt hij de teugel van Dorrit en neemt haar mee.

'Kom maar,' zegt hij tegen het huilende meisje en strekt zijn hand naar haar uit. Gea staat met een pijnlijke uitdrukking op haar gezicht op.

'Niks bezeerd?' vraagt Axel. Hij kijkt hoe Gea beweegt.

'Het valt denk ik wel mee.'

Gea wijst naar Rosa. 'Het kwam door háár...' begint ze.

Axel luistert niet en gaat naar Zefir die kalm naast Tiptop is blijven staan. Gea werpt Rosa een boze blik toe, maar Rosa doet net of ze het niet ziet.

'Hou jij Dorrit even bij je,' zegt Axel tegen Rosa. Hij pakt Zefirs teugel en geeft Rosa die van Dorrit. 'Ze is uitgedold,' zegt hij voordat Rosa iets heeft kunnen vragen.

Buiten klinkt de sirene van de ziekenauto. De pony's hebben het eerder gehoord dan de kinderen. Ze keren allemaal hun hoofd in de richting van het geluid en spitsen hun oren. Even later komt Tamara de rijbaan in met twee mannen in witte kleren, die een brancard bij zich hebben.

Rosa kijkt gespannen toe hoe ze Sem snel onderzoeken en hem dan met een handige beweging op de brancard leggen. Sem houdt zijn ogen gesloten. Zijn gezicht is bleek.

Tamara komt naar Rosa toe.

'Gaat het wel?' Ze pakt Dorrits teugel uit Rosa's hand en legt een hand op Rosa's dij.

Rosa voelt tranen opkomen en probeert ze weg te slikken. 'Het ging allemaal zo snel.'

'Het komt goed,' troost Tamara en neemt Dorrit mee.

Als ze weg zijn gaat Axel in het midden staan.

'Dit was allemaal heel akelig,' zegt hij. 'Maar we gaan nu toch verder met de les. Gea, waarom sta jij nog steeds naast je pony?'

'Ik durf er niet meer op,' huilt Gea.

'Jawel,' zegt Axel. 'We gaan heel simpele oefeningen doen, waar niet één pony heet van wordt, dus die van jou ook niet.'

Een hete pony. Rosa kent de uitdrukking niet, maar ze begrijpt meteen wat Axel bedoelt. Pony's kunnen soms erg opgewonden raken. Dan is het inderdaad net of ze op het vuur staan.

Gea gaat harder huilen. 'Ik wil niet!' schreeuwt ze.

Zefir doet een paar stappen bij haar vandaan. Gea rukt aan de teugel. 'Blijf staan, rotbeest!'

'Goed,' zegt Axel. 'Dan ga je de les maar uit.'

Rosa kan zich nog net inhouden. Ze had willen roepen dat Gea stom is. Dat ze er nooit meer op zal durven als ze nu wegloopt. En hoe moet het dan verder met Zefir?

Maar zij is geen verzorgster meer. Ze mag zich nergens mee bemoeien.

Gea loopt met boze stappen de rijbaan uit. Zefir dribbelt zenuwachtig met haar mee. Als ze weg zijn is het even doodstil. Rosa doet haar ogen dicht en probeert alleen aan Tiptop te denken. Hij voelt lang niet zo ontspannen als aan het begin van de les.

'We gaan in stap op de binnenhoefslag,' commandeert Axel. 'Wie kan mij zeggen waar de binnenhoefslag ligt?'

'Naast de gewone hoefslag,' antwoordt Donna meteen. 'Iets meer naar het midden.'

'Precies, direct naast die vaargeul die de pony's met zijn allen langs het houten schot hebben uitgelopen. Daar ligt de binnenhoefslag. De moeilijkheid is dat je pony liever op zijn gewone plek loopt. Hij zoekt steun langs de wand. Jullie moeten dus goed sturen!'

Rosa merkt dat Tiptop inderdaad steeds naar de kant wil. Maar ze legt haar benen stevig tegen zijn flanken, zonder kracht, zodat ze niet klemt.

'Goed zo, Rosa!' prijst Axel.

Karin heeft het moeilijk.

'Axel! Mijn pony wil niet.'

'Breng je handen iets naar binnen en leg je buitenbeen, dat is het been dat het dichtst bij de muur zit, een paar centimeter naar achteren. Dan kan je pony niet aan de wand kleven.'

Rosa kijkt gauw om naar Karin. Hermelien kleeft vrolijk verder, ziet ze.

'Voor je kijken, Rosa!' zegt Axel. 'We gaan in draf, nog steeds op de binnenhoefslag.'

Ze rijden nog een paar figuren in draf en dan is de les afgelopen. Het is net of ze maar héél even hebben gereden.

Wat is er met Zefir?

Rosa gaat eerst Tiptop afzadelen. Dan pas zoekt ze Donna. Die is nog met Mirke bezig. Mirke is bang van de deken. Je moet hem héél voorzichtig op haar rug leggen, anders raakt ze in paniek.

'Help je even?' Donna geeft de deken aan Rosa.

Die neemt hem in haar rechterhand en legt haar linkerhand op Mirkes hals. Ze wacht een minuut, tot de pony rustiger wordt. Donna blijft stil naast haar staan. Rosa schuift met een heel langzame beweging de deken over Mirkes rug. De pony legt haar oren helemaal plat en hapt in het rond, maar ze laat toch toe dat Rosa de gespen dichtmaakt.

'Zo, braaf!'

'Jij bent veel handiger dan ik.' Donna zucht.

'Welnee!'

'Jawel,' zegt Donna beslist. 'Het komt vast doordat je gewend bent aan Zefir. Zullen we gaan?'

Ze hoeven allang niet meer af te spreken op woensdagmiddag. Het spreekt vanzelf dat Rosa met Donna meegaat en bij haar blijft eten.

'Moeten we niet kijken waar Bertil is?' vraagt Rosa.

Donna slaat haar hand voor haar mond.

'O, wat stom! Ik heb helemaal niet meer aan Bertil gedacht. Zou hij met de ziekenauto mee zijn gegaan?'

Ze lopen samen de trap op naar de kantine om te kijken of het buurjongetje van Sem daar nog zit.

Het is druk. Er zitten volwassenen aan de bar en alle tafeltjes zijn bezet. Bertil is er niet.

'Die is vast met de ziekenauto mee,' zegt Donna.

Rosa schudt haar hoofd. Bertil is verlegen. Die heeft vast

niet durven zeggen dat hij bij Sem hoort. Rosa weet maar al te goed hoe het voelt. Je zou wel iets willen zeggen of doen, maar het lukt domweg niet.

Ze denkt dat Bertil ergens op stal zit. Hij heeft Sem zien vallen. Hij zal wel heel erg geschrokken zijn.

'Laten we beneden gaan kijken,' zegt ze tegen Donna. 'Ik denk dat ik weet waar hij is.'

Overal op de stand zijn kinderen pony's aan het poetsen. Er zijn ook lege plekken waar de pony's horen te staan die nu in de les meelopen. Bij Simba is niemand. Toch loopt Rosa daarnaartoe. Ze kijkt onder de voerbak. Daar zit Bertil in het stro bij Simba, heel klein opgevouwen, met zijn handen om zijn knieën geslagen en zijn gezicht verborgen.

'Bertil,' zegt Rosa zacht. Ze loopt naar hem toe en knielt bij hem neer. Donna blijft op een afstandje staan.

'Bertil?' zegt Rosa. 'Het komt goed hoor, met Sem. We gaan zo met zijn drieën naar hem toe, Donna jij en ik. Dan brengen we jou meteen thuis.'

Bertil kijkt naar haar op.

Rosa legt haar hand op zijn schouder. 'Kom!'

Bertil krabbelt overeind. Simba blijft kalm staan. Ze is helemaal niet bang of zenuwachtig. Wat een verschil met Zefir! Bertil legt nog snel even zijn hoofd tegen Simba's hals voor hij met Rosa meegaat.

Rosa kijkt in de richting van Zefirs box. Zou Gea al weg zijn? Ze stoot Donna aan.

'Weet jij waar Gea is?' Donna schudt haar hoofd.

'Nee.'

'Ze was boos,' zegt Bertil ineens. 'Ze sloeg Zefir.'

'Wat?'

Bertil kijkt naar de grond. 'Ik was hier. Zij kwam uit de binnenbak. Ze ging naar de box. Daar sloeg ze hem. En ze schreeuwde.'

‘Wat schreeuwde ze?’ vraagt Donna.
Bertil kijkt strak omlaag en geeft geen antwoord.
‘Is ze weggegaan?’ vraagt Rosa.
Bertil wijst naar de deur die op de spuitplaats uitkomt. Als je niet door de kantine wilt, kun je op die manier ook bij de fietsenstalling komen.

‘Wacht,’ zegt Rosa. Ze rent gauw naar Zefirs box en maakt meteen de deur open. Daar houdt de pony niet van. Hij legt zijn oren plat en deinst achteruit.
‘Zefir, ik ben het, rustig maar.’
Ze blijft in de deuropening staan en laat haar blik over zijn lichaam glijden. Ze ziet niets bijzonders. Chagrijnig is hij wel vaker. Rosa ziet geen sporen van zweepslagen.
‘Stil maar, Zefir.’
De pony keert zijn hoofd naar haar toe. Rosa ziet het wit van zijn ogen. Hij is niet op zijn gemak.
‘Zefir?’ fluistert Rosa. Ze aait hem niet. Zefir wil alleen gestreeld worden als hij helemaal rustig is. Anders wordt hij narrig.
‘Kom je?’ vraagt Donna. Ze staat met Bertil voor de box. Bertil stapt naar voren en steekt zijn hand voorzichtig naar Zefir uit. Tot Rosa’s verbazing kijkt de pony op en steekt zijn neus in Bertils richting. Hij snuift zachtjes. Bertil streelt zijn neus.
‘Dat heeft hij nog nooit gedaan!’ fluistert Rosa tegen Donna. ‘Hij is zo eenkennig!’
‘Te gek,’ zegt Donna.
Ze blijven nog even bij Zefir staan, zonder te praten. Maar dan moeten ze toch echt weg.

Samen lopen ze naar het fietsenrek naast de stallen.
‘Heb jij je eigen fiets?’ vraagt Rosa aan Bertil.
Hij wijst naar een klein fietsje.
Vroeger wilde Rosa graag een zusje hebben. Ze verzon

van alles wat ze zou doen als ze een zusje had. Maar een broertje zou ze ook heel leuk vinden, bedenkt ze nu.

'Weet jij waar Sem woont?' vraagt Donna aan Rosa.

'Geen idee. Maar Bertil weet het toch? Bertil, hoe heet jullie straat?'

'Hortensiastraat.'

'De bloemenbuurt,' zegt Donna. 'Weet je de weg?'

Bertil kijkt benauwd.

'We vinden het wel,' zegt Donna.

Het blijkt helemaal niet moeilijk. De Hortensiastraat ligt niet zo ver van de manege, een paar straten maar, en ze moeten ook een groot plein oversteken.

Ze bellen bij Sems huis aan, maar niemand doet open.

'Ze zijn natuurlijk in het ziekenhuis,' zegt Donna met een bezorgd gezicht.

'Dáár!' Bertil wijst naar een auto die aan komt rijden en naast de stoep stopt. Het portier gaat open en een man en een vrouw stappen uit.

De vrouw heeft blonde krullen, de man ziet er bijna net zo uit als Sem. Net zo stoer, met kort donker haar.

De man doet het achterportier open en buigt voorover. Hij helpt Sem naar buiten. Die ziet er wit en moe uit.

'Sem!' zegt Donna.

Sem kijkt op. 'Hé, wat leuk! 't Gaat wel hoor,' voegt hij er snel aan toe als hij Bertil ziet. Zijn ouders kijken met gefronste wenkbrauwen naar Rosa, Donna en Bertil.

'Jullie mogen nu niet op visite komen, hoor,' zegt Sems moeder. 'Sem heeft een hersenschudding. Kom over een week maar.'

Sems vader maakt een sussend geluid.

'Ik loop straks wel even langs jouw huis, Bertil,' zegt hij. 'Dan kom ik vertellen wat de dokter zei.'

Ze gaan naar binnen en slaan de deur dicht.

Bertil heeft tranen in zijn ogen.

Rosa weet niet goed wat ze moet doen. Ze wil de ouders van Bertil liever niet zien. Zijn vader was een keer in de manege. Rosa vond hem niet aardig.

'Ik bel wel even bij jou aan,' zegt Donna tegen Bertil. Ze drukt meteen op de bel.

Een jonge vrouw doet open. Ze heeft een telefoon aan haar oor en praat gewoon door: 'Daar zijn de collega's ook niet blij mee,' zegt ze. Dan trekt ze haar wenkbrauwen op naar Donna en zegt: 'Wacht even, ik bel straks nog wel. Ik geloof dat er iets met mijn zoon is.'

Ze klapt haar telefoon dicht en trekt Bertil tegen zich aan.

'Is er wat gebeurd, schat?' vraagt ze bezorgd. 'Ben je van je pony gevallen?'

'Nee mevrouw,' antwoordt Donna. 'Bertil niet. Sem viel, hij heeft een hersenschudding. Zijn vader komt straks bij u om het verder te vertellen. Maar wij hebben Bertil even thuisgebracht.'

'Och schat, kom maar gauw binnen,' zegt Bertils moeder. Ze neemt haar zoontje mee de hal in en doet de deur dicht.

'Wat een rare mensen allemaal,' moppert Donna. 'De een kat je af en de ander zegt niet eens *wat erg!* als je vertelt dat iemand een hersenschudding heeft. Kom op, we gaan naar mijn moeder. Die doet tenminste normaal.'

In het eetcafé

Donna's ouders zijn gescheiden. Haar moeder werkt in een eetcafé. Rosa en Donna eten daar elke woensdag.

Het is nog niet druk als ze binnenkomen. Ze zijn vroeg. Emma, de barkeepster, staat nog niet eens achter de bar. Ze zit aan een tafeltje een tijdschrift te lezen.

'Hebben ze jullie eruitgegooid?' plaagt ze.

Rosa krijgt een kleur en zegt niets terug. Ze kan niet goed tegen volwassenen die lollig doen. Donna kan het niks schelen.

'Precies,' lacht ze. 'Ze zeiden: gaan jullie Emma maar pesten.'

Ze lopen door naar de keuken. Daar staat Annet, de moeder van Donna, in een grote pan te roeren. Het ruikt naar groentesoep.

'Hoi meiden, wat zijn jullie lekker vroeg,' zegt ze. 'Dat komt goed uit. Willen jullie helpen?'

'Nee,' zegt Donna. 'Er zijn twee kinderen van hun pony gevallen. Die ene heel erg.'

Annet slaat een hand voor haar mond. 'Echt? Wat afschuwelijk! Wat gebeurde er?'

Donna vertelt haar precies hoe het ging. Dat Dorrit fris was doordat ze een poosje niet had gelopen. Dat Sem eigenlijk nooit valt, ook al bokt Dorrit. En dat ze bij hem langs zijn gegaan om te vragen hoe het met hem was.

'En om Bertil thuis te brengen,' voegt Rosa eraantoe.

'Die moeder van Sem was erg!' zegt Donna.

'Niet lelijk praten over andere mensen, Donna,' zegt Annet. 'Je zei dat er twee kinderen waren gevallen. Hoe was het met die andere?'

'O, die had niks,' zegt Donna onverschillig.

'Ze wilde niet meer opstappen,' zegt Rosa. 'Dat was zo stom. Als je er niet meteen weer op gaat, durf je nooit meer.'

'Ik denk dat ik ook niet meer zou durven.' Annet rilt. 'Kom, we gaan aan de slag. Helpen jullie met de groente?'

'Ja!' roept Rosa. Zij vindt het leuk om te helpen met koken. Ze mag vaak groente snijden voor Annet.

'Jij moet ook even meedoen, Donna,' zegt Annet. 'Je mag kiezen: champignons borstelen of tomaten ontvellen.'

'Champignons,' zucht Donna. 'Dat is niet zoveel werk.'

'Ik doe de tomaten wel,' zegt Rosa.

'Ik zal thee maken.' Annet pakt twee kopjes en houdt ze onder een kraantje bij het aanrecht. Er komt kokend water uit. Rosa en Donna kiezen zelf een theezakje uit de houten doos op de werktafel.

Donna is snel klaar met de champignons. Ze heeft al zo vaak geholpen dat ze handig is geworden.

'Ik ga binnen aan een tafeltje zitten,' zegt ze. 'Kom jij straks ook? Dan gaan we rummikuppen.'

'Goed, als ik klaar ben,' zegt Rosa met een blik op Annet.

'Je mag nu ook wel gaan hoor,' zegt Annet. 'Dan maak ik de tomaten verder schoon.'

'Nee!' zegt Rosa vastberaden. 'Ik wil het afmaken. En ik wil ook nog wel met de toetjes helpen.'

'Graag.' Annet lacht. 'En als er een mislukt, is hij voor jullie.'

Er mislukken er drie. Rosa en Donna nemen ze mee naar een tafeltje in het café.

'Ik heb helemaal geen honger meer,' zegt Donna als ze ze op hebben. 'Ik hoef geen hoofdgerecht.'

Rosa glimlacht. Hoofdgerecht. Het is net of Donna altijd in een restaurant eet.

'Ik hoef ook geen hoofdgerecht.' Ze duwt haar lege bord van zich af.

‘Ik vraag wel of we een glas sinaasappelsap mogen. Daar zit vitamine C in. Dat is gezond, dan vindt mijn moeder het vast wel goed dat we alleen maar een toetje hebben gegeten.’ Donna loopt meteen naar de keuken.

Rosa denkt aan Zefir. Hij was bang van Gea, dat kon ze zien toen zij hem meesleurde, de bak uit. Wat is er daarna gebeurd?

Donna komt met twee grote glazen versgeperst sinaasappelsap terug.

‘Ik zal Sem morgen bellen,’ zegt ze. ‘Zal ik vragen of we zaterdag langs mogen komen?’

Rosa twijfelt. Op zaterdag gaat ze altijd de hele dag naar de manege. Ze hoeft pas om vier uur te rijden, maar er is van alles te doen.

‘Hoe laat wil je dan gaan?’

‘’s Ochtends, een beetje vroeg. Dan kunnen we daarna naar de manege. Mijn moeder rijdt om elf uur.’

Rosa knikt.

‘Goed.’

Annet rijdt nog niet zo lang paard. Ze is een poosje geleden begonnen, omdat twee van haar vriendinnen een paard hebben. En omdat Donna in de vakantie zo graag samen buitenritten wil maken.

Rosa wou dat haar ouders ook op paardrijden zaten. Dan zouden ze misschien begrijpen waarom zij zo graag naar de manege gaat.

Bij Rosa thuis

‘Heb je het leuk gehad vandaag?’ Rosa’s moeder zit aan de eettafel met haar laptop voor zich en een hoop papieren ernaast.

‘Sem is van zijn pony gevallen,’ zegt Rosa. ‘En Gea ook.’

‘Hè wat naar. Zijn ze er weer op geklommen?’ Ze schuift haar laptop een eindje opzij en leunt achterover.

Rosa komt bij haar zitten en zet haar ellebogen op tafel.

‘Voor Sem moest er een ziekenauto komen.’

Haar moeder kijkt haar geschrokken aan.

‘Sloegen de pony’s op hol?’

Rosa schudt geërgerd haar hoofd.

‘Hoe kan dat nou, in de binnenbak. Op hol slaan kunnen ze alleen als ze de ruimte hebben. Nee, Dorrit was fris. Ze bokte. En toen begon Zefir ook. Het kwam eigenlijk door Karin...’

Ze wil het hele verhaal vertellen, maar haar moeders blik gaat alweer naar de laptop.

‘Als je maar voorzichtig bent met die beesten,’ zegt ze. Rosa staat met een ruk op.

‘Wat is er?’ vraagt haar moeder.

‘Niks,’ zegt Rosa boos.

‘Hoe laat is het eigenlijk?’

‘Negen uur of zo.’

‘Dan had je allang in bed moeten liggen.’ Haar moeder kijkt op het klokje van de laptop.

‘Het valt mee, kwart voor negen. Maar je moet wel naar bed. Heb je bij Donna gegeten?’

‘Ja.’

‘Wat?’

‘Toetjes,’ zegt Rosa. ‘En een glas versgeperst sinaasappelsap. Voor de vitamines.’

Haar moeder lacht. Net of ze niet ziet dat Rosa kwaad op haar is.

‘Ik kom straks kijken of je slaapt,’ belooft ze. ‘Ik ga zo nog heel even de deur uit, papa ophalen.’

‘Waar is hij?’

‘In het café. Ik blijf niet lang weg, een uurtje misschien. Welterusten schat!’

Rosa geeft geen zoen. Ze mompelt iets terug en loopt de kamer uit. Voor ze de deur achter zich dichtdoet, kijkt ze om. Haar moeder zit alweer over haar laptop gebogen.

Op haar kamer is het ijskoud. Ze gaat naar de badkamer en pakt een rubberen kruik uit de kast. Die vult ze met heet water en legt ze in haar bed. Dan poetst ze haar tanden en trekt een pyjama aan.

Tegen de tijd dat ze gaat liggen, is het al een beetje warm onder de dekens. Maar slapen kan ze nog niet. Ze gaat op haar zij liggen.

Als het waar is wat Bertil zegt, slaat Gea haar paard. Er zaten geen striemen op Zefirs huid. Maar misschien zie je die niet door al het haar dat pony’s in de winter hebben. En het gaat ook niet om de striemen. Zefir is heel gevoelig. Als hij zijn vertrouwen in mensen verliest, wordt hij misschien wel vals.

‘Ze slaat,’ klinkt het almaar in Rosa’s hoofd. Gea was heel erg boos op Zefir. Dat rotbeest, noemde ze hem. Zou ze hem echt hebben geslagen? Met een zweep?

Bertil praat haast nooit. Dus kun je maar beter goed naar hem luisteren als hij iets zegt.

Rosa gaat rechtop zitten. Ze wil naar Zefir. Toen ze weggingen leek het beter te gaan, maar helemaal goed was het niet.

Ze wacht tot ze haar moeder op de gang hoort. Zo regelmatig mogelijk haalt ze adem. Haar kamerdeur gaat open en na een paar seconden weer dicht. Dan hoort ze de voordeur open en dicht gaan. Rosa is alleen thuis.

Als ze zeker weet dat haar moeder weg is gereden, staat ze op en kleedt zich warm aan. Ze heeft maar een uur de tijd, zelfs iets minder. Buiten is het ijskoud, maar de wind is gaan liggen.

Met bonzend hart fietst Rosa naar de manege. Ze is nooit op dit tijdstip buiten. Ze komt een man tegen die een grote zwarte hond uitlaat. Met haar blik strak op de weg gericht rijdt ze langs hem. Hij roept haar na: 'Hé wat moet dat zo laat op straat, kleine meid!'

Ze geeft geen antwoord en trapt hijgend door.

Verderop is het juist weer griezelig stil. Rosa is nooit bang, ook niet als ze in het donker uit het eetcafé komt of van de manege. Maar het is nu wel erg laat. Niet één kind is op dit tijdstip nog buiten.

Als ze eindelijk buiten adem op de manege aankomt, ziet ze een fiets staan. Hoe kan dat nou? Maar dan bedenkt ze dat het die van Sem moet zijn, die is achtergebleven. Ze zet de hare ernaast en gaat gauw naar de stal.

Het is er donker. De meeste pony's dommelen wat of knabbelen aan hun stro.

Op haar tenen sluipt Rosa naar Zefir. Hij heeft haar gehoord en snuift onrustig. Als Rosa de boxdeur wil openschuiven, vlucht hij naar de verste hoek van zijn box en maakt een snurkend geluid.

'Zefir?' fluistert Rosa met een trillende stem.

Eerst lijkt hij haar niet eens te herkennen. Pas na een paar minuten ontspant hij zich een beetje. Maar hij wil niet aangeraakt worden.

Rosa voelt tranen opkomen. Zefir is niet in orde, beseft ze.

'Zefir!' huilt ze. 'Was je maar van mij. Ik zou je nooit slaan, ik zou je nooit bang maken of boos op je zijn.'

Er klinken voetstappen. Er komt iemand! Hoe kan dat nou?

Snel duikt ze weg onder Zefirs voerbak. De pony snurkt keihard. Hij gaat haar schuilplaats verraden met zijn paniek.

Maar dan worden de voetstappen zachter. Degene die in de stal loopt, gaat eerst de andere kant uit. Zou het een inbreker zijn? Wat moet ze dan doen? Of is het Tamara? Die woont toch niet vlak bij de manege? Zou zij ook ongerust zijn over Zefir? Nee, dan kwam ze wel meteen naar hem toe.

Nu komen de stappen dichterbij. Voor de box houden ze stil. Zefir ademt iets rustiger. Maar Rosa durft bijna geen adem meer te halen.

'Hé jongen, was je van mij geschrokken?' klinkt de stem van Axel vriendelijk.

Rosa's hart bonkt zo hard dat het lijkt of het lawaai maakt.

'Je weet toch wel dat ik altijd een avondronde doe,' gaat Axel verder. 'Ik kom even kijken of alles goed is, hè. Brááf, kalm maar.'

Rosa houdt zich muisstil. Ze ziet Axels hand door de tralies van de box komen. Hij wil Zefir aaien. Maar dat wil de pony niet. Hij deinst achteruit.

'Dan niet,' zegt Axel en loopt verder.

Rosa durft voorlopig niet tevoorschijn te komen. Maar als ze te lang wegblijft, ontdekken haar ouders dat ze niet in haar bed ligt. Ze zullen woedend zijn.

Met haar hoofd schuin luistert Rosa of ze Axels auto hoort wegrijden. Zefir staat nog steeds in zijn hoek en houdt zijn hoofd omhoog. Hij is bang. Veel banger dan hij altijd was toen Rosa nog zijn verzorgster was.

Rosa wacht en wacht. Ze heeft nog geluk dat paardenstallen nooit worden afgesloten. Als er brand uitbreekt, hoef je niet eerst een sleutel te zoeken. Ze moet er niet aan denken dat ze hier opgesloten zou zitten.

Ze probeert rustig te blijven. Dan klinkt het geluid van een motor die aanslaat. Eindelijk!

Rosa komt uit haar schuilplaats tevoorschijn en rent gauw naar buiten. Wat een geluk dat ze haar fiets naast die van Sem heeft gezet. Paardenmensen merken het altijd meteen als iets in de manege anders is dan anders. Nu zal Axel hebben gedacht dat een van de kinderen met Sem is meegegaan in de ziekenauto.

Er brandt geen licht op de derde verdieping. Haar ouders zijn nog niet thuis. Hijgend zet Rosa haar fiets in de berging en neemt de lift naar boven. Ze ligt nog maar net in bed als ze de voordeur hoort. Haar hart bonst nog steeds. Ze kan niet net doen of ze slaapt.

Haar vader maakt haar kamerdeur zachtjes open.

'Ben je nog wakker?'

'Ik ben zo bang dat er iets met Zefir is.' Haar stem klinkt hoog.

Haar vader komt op de rand van het bed zitten. Hij doet het lampje niet aan.

'Zefir?'

'Mijn verzorgpony. Mijn ex-verzorgpony,' verbetert Rosa.

'Wat is er dan?'

'Hij is zo raar, veel banger dan anders en Bertil zei dat Gea hem had geslagen.' Ze wil nog meer vertellen, maar haar vader legt zijn hand op haar voorhoofd.

'Lieve schat, je hebt vast naar gedroomd. Je bent ook helemaal warm. Het zou me niets verbazen als je ziek aan het worden bent.' Hij trekt het dekbed wat dichter om Rosa heen.

'Ga maar gauw weer slapen.'

Rosa laat het maar zo. Telkens als ze met haar ouders wil praten, is het net of ze een andere taal spreekt. Ze horen wel dat ze iets zegt, maar ze verstaan haar niet.

Wie rijdt nu op Zefir?

Rosa popelt om Donna te vertellen wat er gebeurd is. Zij is de enige die het mag weten. Maar Donna zit op een andere school. In de middagpauze stuurt ze een sms: *Ik moet je wat vertellen. Straks, na school.*

Als ze thuiskomt, is er niemand. Ze maakt gauw een boterham voor zichzelf. Dan gaat de telefoon al.

'Ik ben stikbenieuwd,' zegt Donna. 'Wat is er?'

'Ik ben vannacht op de manege geweest.'

'Vannacht? In het donker?'

'Ik wilde Zefir zien.'

Donna maakt een niet-begrijpend geluid.

'Had jij gehoord wat Bertil zei?' vraagt Rosa.

'Dat Gea liep te vloeken?'

'Dat ze slaat.'

'Ja, dat zei hij. Maar bedoelde hij echt sláán? Aftuigen?'

'Dat weet ik dus niet. Maar ik bleef eraan denken. En toen wilde ik hem ineens zien.'

'Bertil?'

'Nee, Zefir, natuurlijk,' zegt Rosa ongeduldig.

'Hoe heb je het gedaan? Waren je ouders er niet?'

'Ik had maar een uur. Mijn moeder ging mijn vader ophalen.'

'Ben je in een uur heen en weer gefietst?'

'Ja,' zegt Rosa. Nu ze het aan Donna vertelt, voelt ze zich opeens trots. 'Het was waanzinnig spannend. En toen kwam Axel ook nog langs.'

'Néé!' zegt Donna. 'En heeft hij jou gezien?'

'Bijna wel.'

Rosa vertelt hoe ze zich zo klein mogelijk maakte in de

box van Zefir. Hoe bang ze was dat Axel haar zou ontdekken. Nu ze het hele verhaal vertelt, voelt ze pas hoe eng het was. Donna luistert ademloos.

'Ik wou dat ik erbij was geweest,' zegt ze. 'Maar ik had het nooit gedurfd. Jij bent veel dapperder. Dat je midden in de nacht door het donker naar je paard gaat!'

Rosa bloost. *Je paard.* Alsof Zefir nog een beetje van haar is. Het is niet zo, maar zo voelt het wel.

'Ik vertrouw Gea niet,' zegt ze. 'Ik ga haar heel goed in de gaten houden.'

'Dat ga ik ook doen,' belooft Donna. 'We beginnen zaterdag.'

'We mogen maar een kwartier blijven,' zegt Donna als ze elkaar zaterdagochtend bij Sems huis ontmoeten. 'Sem moet zich heel rustig houden.'

'Geeft niet,' zegt Rosa opgelucht. Ze ziet er tegenop om in een vreemd huis op visite te gaan.

Sem zit in de huiskamer iets te bouwen met lego als ze binnenkomen. Hij zegt niet veel. Zijn vader vertelt dat Sem niet mag lezen, niet naar de televisie mag kijken en geen computerspelletjes mag doen. Hij moet twee weken helemaal rustig thuisblijven.

Al na tien minuten komt zijn moeder zeggen dat het bezoek lang genoeg heeft geduurd.

Rosa trekt meteen haar jas weer aan. Dan vraagt Sem ineens iets. 'Wanneer komen jullie weer?'

'Woensdag?' stelt Donna voor.

'Oké,' zegt Sem.

Even later staan ze alweer buiten.

'Zullen we Bertil ophalen?' zegt Donna. 'Die vindt het vast leuk om mee te gaan naar de manege.'

'Zou zijn moeder dat goed vinden? Ze kent ons helemaal niet.'

Bertils moeder schudt inderdaad meteen nee als Rosa en Donna het vragen.

'Nee meiden, dat lijkt me niet zo'n goed idee. Jullie blijven daar natuurlijk de hele dag hangen. Dat is veel te lang. En Bertil mag vanmiddag met zijn vader mee.'

Terwijl zijn moeder praat staat Bertil schuin achter haar en kijkt sip.

Rosa ziet dat hij iets wil zeggen, maar het komt er niet van. Zijn moeder maakt al aanstalten om de voordeur dicht te doen.

'Maar woensdag dan,' zegt Rosa vlug. 'Zullen we hem woensdag meenemen? We gaan dan toch bij Sem langs.' Ze voelt dat ze rood wordt. Eigenlijk is ze te verlegen om uit zichzelf iets te zeggen.

Bertil tilt zijn hoofd met een ruk op en kijkt hoopvol naar zijn moeder. Die fronst haar wenkbrauwen.

'Nou vooruit dan maar,' zegt ze. 'Woensdag. Als jullie beloven héél voorzichtig te zijn in het verkeer.'

'Natuurlijk!' roept Donna meteen.

Dan valt de deur dicht en kijken ze elkaar beduusd aan.

'Wat ging dat allemaal weer raar,' giechelt Donna.

'We gaan lekker naar de manege,' zegt Rosa. 'Dan kunnen we je moeder helpen met opzadelen. Die is tenminste blij met ons.'

Ze zijn zo vroeg dat Annet er nog niet eens is. Donna gaat in de kantine kijken op wie haar moeder rijdt, terwijl Rosa even bij Zefir langsgaat. Maar als ze bij de box komt, is die leeg. Rosa loopt snel terug. Ze had niet gedacht dat Gea of haar zus Laura er al zouden zijn. Er is pas 's middags een les. En het is veel te koud om in de buitenbaan te rijden.

Rosa trekt haar jas dichter om zich heen en loopt naar het terrein naast de manege. Daar is ook een *paddock*, een zandweitje met een hek eromheen, waar je je paard kunt loslaten of aan de lange lijn kunt laten lopen.

Zefir staat in zijn eentje in de paddock met zijn deken om. Hij komt meteen naar het hek als hij Rosa ziet. Ze begrijpt waarom. Zefir wil eruit. Pony's en paarden zijn niet graag alleen.

Rosa durft niet naar hem toe te gaan. Ze weet niet waar Gea is. Of Laura. Ze draait zich om en gaat naar binnen, naar de kantine.

Gea zit aan de bar met Barbara te praten. Donna is er ook. Ze zit aan een tafeltje schuin achter Gea en luistert mee.

'Ik ga er écht niet meer op!' zegt Gea. 'Het kan me niks schelen wat Laura vindt.'

'Maar hoe moet dat dan?' vraagt Barbara. Ze geeft Rosa een snelle knipoog.

Gauw gaat Rosa bij het schoolbord naast de deur staan om geen aandacht te trekken. Annet rijdt op King, ziet ze op het lijstje. En vanmiddag heeft Donna Tiptop en zijzelf mag op Caprilli rijden. Dat is een lieve pony, maar wel een beetje lui.

Ze kan misschien vast gaan poetsen. Annet vindt paardrijden leuk, maar poetsen en opzadelen vindt ze eng. Net voor Rosa de kantine uit loopt, hoort ze Gea nog zeggen: 'Laura heeft geen zin om een bijrijder te zoeken. Maar ik vind wel weer iemand.'

Donna komt een minuut later naar stal. Ze had al begrepen dat Rosa bij King zou zijn.

'Zefir staat buiten, wist je dat?' vraagt ze.

Rosa is Kings hoeven aan het uitkrabben. Ze gaat rechtop staan.

'Ja, dat arme beest staat daar in de kou. Hij wilde daarnet al naar binnen. Maar ik kan niks voor hem doen.'

'Gea zei tegen Barbara dat ze hem alleen even losliet,' vertelt Donna. 'Ze heeft ruzie met haar zus, want die wil dat ze er gewoon weer op gaat. Of dat ze hem in ieder geval longeert. Maar dan moet ze almaar met die lange lijn in haar handen staan en krijgt ze het te koud, zei ze.'

'Rotmeid!' scheldt Rosa.

'Zij zegt steeds rotbeest,' zegt Donna. Ze zet haar poetsmand naast die van Rosa.

'Zullen we King samen even poetsen?' stelt ze voor.

'Dat is goed, dan doen we ieder een kant,' zegt Rosa.

'Maar mijn moeder moet zelf opzadelen hoor! Anders leert ze het nooit.'

Als Annet op stal komt, staat King er netjes bij. Het zadel en het hoofdstel hebben ze klaargezet.

'Kunnen jullie dat ook niet even doen?' vraagt Annet.

'Néé!' zegt Donna streng.

'Ik help wel als het niet lukt,' biedt Rosa aan.

Maar Annet kan het wel. Al legt ze het zadel te ver naar achteren en vergeet ze de deken goed omhoog te trekken in de ruimte aan de voorkant van het zadel.

'Dat moet,' legt Donna uit. 'Anders klemt het zadel. Dan krijgt je paard drukkingen.'

'Wat is dat nou weer?' vraagt haar moeder. Ze vindt het helemaal niet gek dat Donna haar verbetert.

'Een wond,' zegt Rosa. 'Bij paarden heet dat een drukking. Ik weet ook niet waarom.'

Met z'n drieën wachten ze bij King tot de les begint.

Donna loopt met haar moeder mee om haar te helpen met opstijgen. Rosa gaat naar buiten om te kijken of Zefir nog in de paddock staat. Om zich een houding te geven, pakt ze een bezem. Ze kan net doen of ze het pad naar de buitenmanege moet vegen.

Zefir staat er nog. Maar hij is niet alleen. Laura en Gea

staan bij hem. Zo te zien hebben ze nog steeds ruzie. Rosa gaat gauw terug naar stal. Ze wil liever niet dat de twee zussen haar zien. Donna komt aanlopen.

'Wat is er?' vraagt ze.

'Gea heeft ruzie met Laura. Ze staan bij de paddock.'

Donna begrijpt meteen wat Rosa wil.

'Ik heb iets bij de buitenbak laten liggen,' zegt ze. 'Of nee, ik zoek jou. Misschien weten zij waar je bent.'

'Niet doen hoor!' schrikt Rosa. 'Niet over mij beginnen. Hier, neem een bezem.'

Ze geeft de bezem aan Donna. Ze giechelen.

Rosa gaat naar Tiptop, die op de stand staat. Hij snuffelt even aan haar. Dan laat hij zijn hoofd zakken om in het stro te zoeken naar korreltjes biks. Rosa aait hem over zijn flanken.

Even later klinken er hoeven bij de ingang die op de spuitplaats uitkomt. Ze tuurt over de manen van Tiptop en ziet Laura aankomen met Zefir. Laura ziet haar niet. Rosa knielt bij Tiptop neer. Ze is precies op tijd, want daar is Gea. Met driftige stappen loopt ze langs de stand in de richting van de kantine.

Als ze weg is, gaat Rosa Donna zoeken. Ze vindt haar bij de buitenmanege, waar ze onschuldig zand staat te vegen. Als ze Rosa ziet, begint ze weer te giechelen.

'Ze zagen me niet eens,' zegt ze. 'Ze hadden het te druk met elkaar. Laura is kwaad. Ze is niet van plan vaker dan twee keer in de week te rijden. Gea gaat echt niet meer op Zefir. Ze wil hem alleen nog maar losgooien, niet eens longeren. Eigenlijk wil ze hem verkopen. Ze zei dat het allemaal jouw schuld is, dat jij hem hebt verpest. Maar dat vond Laura onzin.'

Rosa schudt verbaasd haar hoofd. 'Ze hebben hem zelf verpest!'

'Kom, we gaan naar de kantine,' stelt Donna voor. 'Ik weet zeker dat Gea nu het hele verhaal aan Barbara zit te vertellen. Trouwens, ik wil ook zien hoe het met mijn moeder gaat.'

Gea zit inderdaad aan de bar. Rosa en Donna doen net of ze haar niet zien. Ze kijken door de ruit naar de les van Annet. Zo kunnen ze onopvallend naar Gea luisteren.

Die zit voor de zoveelste keer te vertellen hoe moeilijk Zefir is en dat het de laatste tijd steeds erger wordt.

'Morgen rijdt Laura,' hoort Rosa. 'En ik heb al bedacht wie ik ga vragen om hem te longeren en af en toe op hem te rijden.'

'O ja?' vraagt Barbara nieuwsgierig.

Rosa voelt dat Gea naar haar kijkt. Ze wendt haar gezicht verder af. Zo lijkt het of ze haar aandacht helemaal bij de les heeft. Vanuit haar ooghoek ziet ze dat Gea vooroverbuigt en Barbara iets toefluistert.

'Kijk,' wijst Rosa, terwijl ze Donna aanstoot. 'Die mevrouw zit helemaal scheef.'

'Het zadel zit helemaal los!' zegt Donna geschrokken. De singel is niet goed aangetrokken voor de les begon. Axel heeft het ook gezien. Hij laat de paarden halt houden en loopt op de mevrouw af om de riem een gaatje strakker te doen. Even later lopen de paarden weer in draf.

Gea is inmiddels opgestaan van de bar en slentert weg.

'Weet je wat ze zei?' fluistert Rosa tegen Donna.

'Nee, ik heb niet opgelet. Ik keek naar mijn moeder. Ze kan al goed lichtrijden, maar ze houdt haar handen niet stil.'

Donna kijkt Rosa aan. 'Wat zei ze dan?'

'Ze gaat een bijrijdster zoeken.'

'Wie?'

Rosa zucht. 'Géén idee.'

Wie kiest nu zo'n bijrijdster?

Rosa blijft maar piekeren over Gea en Zefir. Wie zou de nieuwe bijrijdster worden? Een tijdje geleden heeft ze afscheid genomen van Zefir. Dat vond ze heel erg. Het ging echt niet meer tussen haar en die twee stomme zussen. Maar ze heeft er nooit bij stilgestaan dat iemand anders haar plaats in zou nemen. Het is een raar gevoel, net of ze nog verder weggeduwd wordt.

Donna begreep totaal niet dat Gea er iemand anders bij wilde hebben.

'Ze hadden jou! Jij was fantastisch met Zefir. Maar dat konden die meiden gewoon niet hebben. Wie zouden ze in plaats van jou kunnen vragen?'

Direct na school gaat Rosa met de fiets naar de Hortensiastraat. Daar staat Donna's fiets al. Donna's school is vaak vroeger uit dan die van Rosa.

Als ze aanbellen doet Sem zelf open. Hij ziet niet meer zo wit als een week geleden, maar hij kijkt niet echt vrolijk.

'Hai,' zegt hij mat.

Rosa loopt achter hem aan naar zijn kamer. Donna zit op een kussen op de grond met een glas sinas.

'Wil jij ook wat drinken?' biedt Sem aan.

'Sinas is goed.'

Als Sem in de keuken is, gaat Rosa naast Donna zitten.

'Wat waren jullie aan het doen?' zegt ze.

'Niks. Sem mag niks. Hij is wel bijna de hele dag op, maar hij mag alleen met z'n lego spelen. Hij verveelt zich rot.'

'Waar zijn z'n ouders?'

‘Die werken. Zijn vader is de hele dag weg en zijn moeder komt om drie uur thuis. Hij pakt zelf brood en drinken.’

Sem komt terug met de sinas.

‘Ik wou dat ik beter was,’ zegt hij. ‘Ik weet echt niet meer wat ik moet doen.’

‘Kun je tekenen?’ vraagt Rosa.

Zijn ogen lichten op. ‘Vroeger wel.’

‘Heb je papier? En stiften of verf of zoiets?’

Sem staat op en rommelt in een kast. Hij vindt zowaar viltstiften.

‘Ik doe het de laatste tijd nooit meer,’ zegt hij. ‘Maar het is wel een goed idee.’

Hij klinkt ineens vrolijker. Maar zijn hand gaat naar zijn voorhoofd.

‘Heb je hoofdpijn?’ vraagt Donna bezorgd.

‘Een beetje.’

‘Misschien moet je straks eerst weer gaan liggen.’

Hij knikt. Het is even stil.

Rosa drinkt haar glas leeg. Ze weet ook niet wat ze moet zeggen. Ze is niet zo praterig. Op school zegt ze alleen iets als iemand haar wat vraagt. Alleen bij Donna voelt ze zich echt op haar gemak. En bij Bertil, omdat die nog verlegener is dan zij.

‘Zal ik de glazen naar de keuken brengen?’ Ze pakt ze op en gaat de kamer uit.

Op de ijskast staat een gasfornuis met een zwarte pan erop. Heel voorzichtig tilt ze het deksel op om te zien wat erin zit. Het zijn gehaktballen in een laag gestold vet. Ze ruikt ze. Ineens ziet ze voor zich hoe het hier vanavond zal zijn: Sem met zijn vader en moeder aan tafel. Ze eten gehaktballen en misschien stamppot. Of spaghetti. Het is vast heel gezellig.

Bij haar thuis staat bijna nooit een pan klaar. Haar moeder kookt maar af en toe. Als ze tijd heeft. En haar vader kookt soms in het weekend.

Ze gaat terug naar Sems kamer.
'Zullen we Bertil gaan halen?' stelt ze voor.
Donna staat op.
'Ik zie je van de week nog wel,' zegt ze tegen Sem.
Sem knikt. Hij ziet weer een beetje wit.

Bertil staat al klaar als Rosa en Donna bij hem aanbellen. Hij heeft zelfs zijn cap al op en zijn zweep in zijn hand. Met z'n drieën fietsen ze naar de manege.

'Ik ben benieuwd wie je hebt, Bertil,' zegt Rosa. 'Zullen we meteen naar de kantine gaan?'

Bij het schoolbord staan kinderen uit de beginnersles. Rosa kan over ze heen kijken.

'Je hebt Simba!' roept ze. Bertil straalt.

'Wil je mijn poetsspullen?' biedt ze aan.

Hij knikt heftig en steekt meteen zijn hand uit naar Rosa's tas.

'Niks kwijtmaken,' zegt ze, terwijl ze hem de tas geeft. 'Kun je het zelf?'

'Een beetje,' zegt Bertil.

'Ik kom zo helpen.'

'Ik heb een pony die ik niet ken,' zegt Donna verbaasd. 'Colorado.'

'Aááh wat leuk, een nieuwe!' roept een meisje achter hen. Ze duwt tegen Donna's schouder.

'Wat een mazzel heb jij!'

'Ja,' zegt Donna verbaasd. 'Wat leuk dat ik erop mag! Ik rij helemaal niet zo goed.'

'Onzin,' zegt Rosa beslist. 'Jij zit hartstikke netjes.'

Donna bloost.

Grappig, denkt Rosa verrast. Dat heeft Donna niet vaak.

Bertil is al naar stal gegaan. Rosa weet niet of hij kan poetsen. Hij rijdt nog maar zo kort. Sem gaat altijd met hem mee om te helpen met opzadelen. Dat zal zij maar van hem overnemen. Maar ze wil eerst de nieuwe pony zien.

Tamara komt de kantine binnen.

'Waar staat Colorado?' vraagt Donna.

'O ja, jij rijdt op de nieuwe,' zegt Tamara. 'Het is een kleine vos en hij staat naast Zefir.'

'In een box?' vraagt Donna, want alleen de pensionpaarden hebben een box.

Tamara knikt. 'Tot hij gewend is aan de andere pony's.'

Rosa en Donna gaan gauw naar de stallen.

Bertil staat bij Simba op de stand. Zo te zien is hij meer aan het knuffelen met de pony dan dat hij haar poetst. De tas is nog niet open geweest, ziet Rosa in het voorbijgaan.

'Ik kom je zo helpen!' roept ze. 'We gaan naar de nieuwe pony kijken. Wil je mee?'

Ze wacht het antwoord niet af, want Donna is al doorgelopen.

Als ze in het deel van de stal komt waar de boxen zijn, ziet ze dat Zefirs box openstaat. Gea is bij hem en nog iemand. Ze kan zo gauw niet zien wie.

Ze gaat gauw naast Donna staan, bij de box van Colorado. Nieuwsgierig kijkt ze naar binnen. Een kleine elegante pony komt meteen naar ze toe en steekt zijn neus door het gat bij de voerbak.

'Hij kan in ieder geval goed bedelen,' lacht Donna, terwijl ze de staldeur openschuift.

Rosa werpt nog een snelle blik op de box van Zefir. Ze hoort de stem van Gea, maar ze kan niet verstaan wat ze zegt. De andere stem komt haar ook bekend voor.

'Kijk, hij geeft meteen een voet,' zegt Donna tevreden. Ze houdt het hoefje van Colorado vast en pakt een hoevenkrabber uit de zak van haar bodywarmer. Bertil komt ook aanlopen.

Hij zegt niets en kijkt verrukt naar Colorado. De pony strekt meteen zijn hoofd naar hem uit en snuift zachtjes.

Bertil buigt zijn hoofd naar hem toe. De pony en het jongetje staan neus aan neus. Rosa en Donna zien het verbaasd aan. Het lijkt wel of Bertil met alle pony's overweg kan.

Maar het is tijd om op te zadelen. De beginnersles start over een kwartier.

'Ga je mee, Bertil?' vraagt Rosa.

Hij kijkt om en knikt. Samen gaan ze naar Simba.

Rosa tilt Simba's linkervoorhoef op. Die is niet echt schoon.

'Heb je al wat gedaan?'

Bertil kijkt naar de tas.

'Nou ja, het maakt niet uit.' Ze pakt haar hoevenkrabber en maakt alle vier de hoeven schoon. Dan kijkt ze of de plek waar de singel, de buikriem, komt te liggen goed schoon is. Dat is belangrijk. Er mag geen zweet van de vorige keer zitten, anders schuurt de huid kapot.

Even later staat Simba gezadeld en klinkt de stem van Tamara: 'Jullie mogen je pony meenemen en in een rij bij de deur gaan staan. Netjes afstand houden!'

Zodra ze Bertil in het zadel heeft geholpen, loopt Rosa terug naar Colorado. Terwijl ze langs Zefirs stal loopt, kijkt ze gauw naar binnen. Er is niemand meer. Donna is net klaar met het poetsen van Colorado.

'Hoe is hij?' vraagt Rosa als ze naar de kantine lopen.

'Stout,' lacht Donna. 'Hij draaide zich ineens om, niet om te dreigen maar gewoon, omdat hij lekker zijn eigen zin wilde doen.'

'En wat heb jij toen gedaan?'

'Hem aan een halster vastgezet.'

Ze gaan bij het raam zitten kijken naar de les.

'Bertil is veel banger als hij rijdt dan in de stal,' zegt Donna. 'Zie je dat koppie?'

'Hij wil het te goed doen.'

'Hij doet het best goed. Hij is alleen erg klein.'

'Hij is zeven, maar hij lijkt jonger,' zegt Rosa.
'Sem zei dat zijn vader hem eigenlijk op voetballen had willen doen. Maar Bertil wilde alleen maar paardrijden.'
Rosa kijkt op de klok die boven de bar hangt.
'Ik ga Caprilli poetsen,' zegt ze.
'Ik ga ook naar stal,' zegt Donna.

Voordat de beginnersles is afgelopen, staan de half-gevorderden al klaar. De manegepony's komen van de stands. Van de andere kant, waar de boxen zijn, komen maar twee pony's: Colorado en Zefir.

Rosa ziet wie naast Zefir staat: niet Gea, maar Karin. Karin!

Ze is stomverbaasd. Karin is nog zo onzeker. Dat wordt toch helemaal niets? Zefir is hartstikke moeilijk.

Maar het valt mee. Zefir loopt braaf mee in de les. Axel maakt het ook niet erg ingewikkeld. Karin hoeft niet één keer voorop te rijden. Colorado ook niet.

'We houden een beetje rekening met die nieuwe pony,' legt hij uit. 'Hij is nog niet zo goed in conditie, dus we gaan wat figuren in stap rijden.'

Ze doen oefeningen om de pony's soepeler te maken. Rosa heeft de grootste moeite om Caprilli vooruit te krijgen.

'Rosa,' zegt Axel, 'hou eens op met schoppen en wringen. Je geeft één hulp: druk maar met je kuiten. Als Caprilli niet meteen reageert, geef je één fel tikje met de zweep. Als hij dan nog niet gehoorzaamt, geef je er nog een, maar dan echt hard.'

Rosa doet wat Axel zegt. Caprilli valt in een sukkeldrafje.

'Precies. Neem je pony nu terug naar de stap en drijf opnieuw aan. Als hij niks doet, geef je weer een tikje. Zodra hij reageert, ga je terug naar de arbeidsstap.'

Dat is een gewone stap, weet Rosa.

'En dit blijf je zo doen,' zegt Axel.

Het helpt, merkt Rosa. Caprilli lijkt wakker te worden. Na een minuut of tien loopt hij opgewekt mee met de andere pony's.

Ze doen nog een heel kort galopje, eerst op de linkerhand en dan de andere kant uit, op de rechterhand. En dan is het uur alweer om.

Rosa brengt Caprilli naar stal en gaat dan kijken of Donna al klaar is. Als ze langs de box van Zefir komt, gluurt ze even naar binnen. Karin heeft het zadel buiten de box gezet en komt net met het hoofdstel in haar hand naar buiten. Haar wangen zijn rood.

'Pfff,' zucht ze.

Rosa blijft staan.

'Hij is wel lief,' zegt Karin. 'Maar ik stond dóódsangsten uit.'

Rosa schudt niet-begrijpend haar hoofd. Ze heeft Zefir geen stap verkeerd zien zetten.

'Gea zei, dat hij zomaar aan de kletter kan gaan,' zegt Karin. 'Hij is verreden, zei ze.'

Rosa haalt haar schouders op. Pony's gaan er echt niet zomaar vandoor. En verreden is Zefir al helemaal niet! Hij kan prachtig lopen, als er maar een behoorlijke ruiter op zijn rug zit. Iemand zoals Laura. Of zoals zijzelf, denkt ze er stiekem achteraan.

De boxdeur van Colorado staat open.

'Hoe was hij?' vraagt Rosa nieuwsgierig.

'Heerlijk!' zegt Donna. 'Maar hij is nog wel bang van de andere pony's. Hij wilde niet achter Hermelien lopen. Ik heb de hele tijd achter jou gezeten.'

'Ik zag je helemaal niet!' lacht Rosa. 'Ik had het te druk met die slome Caprilli.'

'Hij liep wel goed,' zegt Donna.

Rosa bloost tevreden.

Donna geeft Colorado nog een knuffel. Dan pakt ze het zadel en hoofdstel en gaat de box uit.

'Haal jij Bertil uit de kantine?' vraagt ze aan Rosa.

'O ja!' schrikt Rosa. 'Die moet ook nog weggebracht worden.'

Ze was hem bijna vergeten. Het is wel veel werk, zo'n broertje.

Kregen ze maar spijt

Rosa's ouders zijn er nog niet als ze thuiskomt. Er ligt een briefje op de keukentafel.

We zijn naar de film.
Pak maar een flesje appelsap.

Rosa hoeft geen appelsap. Donna en zij hebben in het eet-café al genoeg gedronken.

Rosa slentert naar de woonkamer en zet de televisie aan. Het is nog niet eens halfnegen. Donna zit nu ook alleen thuis. Na het eten gaan ze altijd tegelijkertijd weg.

Annet is nooit voor middernacht thuis. Ze moet de keuken nog opruimen en de afwas in de machine zetten.

'Wat doe jij als je alleen bent?' heeft Rosa een keer aan Donna gevraagd.

'Televisiekijken,' zei Donna. 'En stiekem laat opblijven. En jij?'

'Ik moet vaak eten maken. Als mijn vader vergadering heeft en mijn moeder laat moet werken. Dan maak ik een pizza warm. Of ik kook iets wat jouw moeder me heeft geleerd. Dat vind ik wel leuk.'

'Kijk je geen tv?'

'Soms. Ik ga ook wel eens iemand bellen. Mijn oma of zo.'

'O leuk! Ga je mij dan ook een keer bellen?'

'Goed,' had Rosa gezegd. Maar ze heeft het nog niet gedaan.

Zal ze nu nog even bellen? Eigenlijk hebben ze alles al besproken. Donna heeft over Colorado verteld. Dat hij heel springerig is, maar dat je het voelt aankomen als hij iets wil gaan doen. Dat ze hem telkens op tijd kon afleiden door hem op een kleine volte te sturen. En dat hij pas de tweede helft van het uur rustig werd. Toen hij achter Caprilli liep.

Ze hadden het ook nog over Zefir en over de avond dat Rosa in het donker naar hem toe was gegaan.

'Jij houdt echt van hem,' zei Donna. Ze wilde weten of Rosa het erg vond dat Karin op Zefir reed.

'Ze wordt waarschijnlijk hun vaste bijrijdster,' zei Rosa.

'Dat kan toch niet,' zei Donna. 'Ze is een beginner!'

Rosa denkt na over Karin. Als zij echt bijrijdster wordt, moet ze helemaal in haar eentje voor Zefir zorgen op de dagen dat Gea en Laura er niet zijn. Dat is veel werk. Zeker nu Gea helemaal niet meer op hem wil rijden. Dat gaat Karin niet redden.

Net goed, denkt Rosa. Laat Karin er maar een puinhoop van maken. Dan komen die zussen er tenminste achter dat het heel dom was om ruzie met Rosa te maken. Ze gaan nog spijt krijgen!

In Rosa's fantasie komen de twee meiden met bedrukte gezichten naar haar toe: *We vinden het zo stom dat we jou niet beter hebben behandeld! Neem ons niet kwalijk en zou je alsjeblieft! alsjeblieft! terug willen komen en weer voor Zefir willen zorgen?*

Rosa zucht. Gebeurde dat maar in het echt!

Ze hoort de sleutel van de voordeur in het slot.

'Hoi lieve schat, ben je al lang thuis?' vraagt haar moeder.

Rosa ruikt de wijn in haar adem.

'Jullie zijn in de kroeg geweest.'

'We hebben nog wat gedronken,' geeft haar vader toe terwijl hij zijn jas ophangt. 'Heb je ons gemist?' Hij loopt de woonkamer in en zet de televisie aan.

'Nee.' Rosa laat zich op de bank vallen. 'Ik had geen tijd om jullie te missen. Ik was aan het denken.'

‘Waar dacht je aan?’ vraagt haar moeder, terwijl ze rilt en de verwarming wat hoger zet.

‘Aan Zefir.’

‘Zefir?’ herhaalt haar vader, die voor de televisie zit.

‘Dat is die pony,’ zegt haar moeder. ‘Wil jij nog een biertje of zal ik thee zetten?’

‘Thee,’ zegt Rosa snel, voor haar vader antwoord heeft kunnen geven.

‘Doe maar één biertje,’ zegt haar vader.

‘Wat krijg ik dan?’

‘Jij hoort in je bed te liggen, maar het is goed. Wil je...’

‘Cola,’ zegt Rosa opstandig.

‘Kruidenthee,’ zegt haar moeder. ‘En dan moet je naar bed.’

Die meid kan niks!

Karin heeft het inderdaad niet gemakkelijk. Rosa ziet haar bij de paddock staan, met Zefir aan haar ene hand en een longeerzweep in de andere. Het is donderdag. Rosa is na school langs de manege gereden. Haar ouders komen pas om zes uur thuis. Ze heeft alle tijd.

Karin legt de zweep neer en probeert het hek open te maken. Zefir tilt zijn hoofd op en doet een paar stappen naar achteren.

'Hóóó!' roept Karin zenuwachtig.

Even komt het in Rosa op om zich om te draaien en Karin aan te laten modderen. Maar dan denkt ze aan Zefir. Hij wordt schuw als mensen zenuwachtig doen. En hij doet de laatste tijd toch al zo raar.

'Zal ik het hek voor je openmaken?'

Karin kijkt haar nauwelijks aan. 'Graag,' mompelt ze.

Zonder te bedanken gaat ze met de pony de paddock in en probeert hem in een kringetje om zich heen te laten lopen.

Rosa ziet meteen dat de lange lijn aan één ring aan het bit vastzit. Zo moet dat niet. De lijn moet door de ring onder de kin langs, en dan aan de andere ring worden vastgemaakt. Ze wacht even. Misschien gaat het toch goed.

Maar Zefir begint niet eens aan een rondje. Onhandig heft Karin de zweep. Zefir deinst achteruit.

Rosa kan het niet aanzien.

'Heb je het al eens eerder gedaan?' vraagt ze.

Karin schudt haar hoofd.

Hoe is het mogelijk! Gea heeft Karin als bijrijdster genomen en zonder te weten of Karin wel wat kan!

'Wil je dat ik je help?' biedt Rosa aan.

Karin kijkt even om zich heen.

'Oké.'

Rosa loopt rustig op Zefir af en blijft even naast hem staan, tot hij zich ontspant. Dan klikt ze de lijn los en maakt hem opnieuw vast.

'Je moet de lijn door de ene bitring halen en hem dan, onder zijn kin door aan de andere vastmaken.'

'Waarom?' vraagt Karin. Ze houdt nog steeds het eind van de lange lijn vast.

'Omdat je anders het bit door zijn mond heen trekt. Laat de longe eens los.'

Karin laat de lijn op de grond vallen. Rosa rolt hem in grote lussen op.

'Kijk,' zegt ze. 'Dit hou je in je linkerhand. Alleen het uiteinde hou je in je rechterhand, samen met de longeerzweep. En dan wijs je even naar zijn billen en je geeft een tongklikje.'

Rosa doet het voor en Zefir gaat meteen in stap. Maar als ze de lijn en de zweep aan Karin geeft, gaat het meteen weer mis. Karin vergeet mee te lopen en trekt per ongeluk aan het bit. Zefir legt zijn oren plat en gaat dwars staan.

'Ho maar,' zegt Rosa. 'Je moet kleine rondjes meelopen.'

Ze helpt het meisje zo goed ze kan. Ze gaat achter haar staan en stuurt mee door Karins ellebogen te pakken. Als Zefir een paar rondjes heeft gestapt, laten ze hem in draf gaan.

'Zal ik je laten zien hoe je hem de andere kant uit laat lopen?'

Karin knikt.

'Zet hem maar stil.'

'Hoe dan?'

'Zeg maar heel rustig hóóó en geef dan een kleine ophouding.'

'Een wat?'

‘Een kneepje in de lijn.’

Karin geeft een ruk in plaats van een kneepje en Zefir staat meteen weer dwars. Maar hij staat tenminste stil.

‘Als je op de andere hand gaat, moet je de lijn aan de andere kant vastmaken,’ zegt Rosa. Ze laat Karin zien hoe het moet.

‘Nu moet je het zelf doen.’

Rosa wil weg uit de paddock. Ze is bang dat Gea haar ziet. Of Laura. Aan de zenuwachtige blik in Karins ogen kan ze zien dat er over haar geroddeld is. Vorige week deed Karin nog heel gewoon tegen haar.

Ze laat het meisje verder prutsen en gaat de stal in. Misschien heeft Tamara werk voor haar. Ze vindt haar bij de hooiberg.

‘Stond je les te geven?’ vraagt ze.

Rosa wordt vuurrood. Ze had gehoopt dat niemand het had gezien.

‘Het valt niet mee, hè,’ zegt Tamara. ‘Iemand anders die ineens met jouw pony aan de slag gaat.’

Rosa geeft geen antwoord. Haar keel zit dicht.

‘Zal ik vegen?’ vraagt ze schor.

‘Doe maar. Dan maak ik een wagen met hooi. Je kunt straks wel helpen met voeren.’

Rosa werkt de hele middag op stal. Ze ruimt ook nog de zadelkamer op en ze veegt de spuitplaats goed schoon.

Om zes uur krijgt ze een sms van haar moeder: *Waar zit je?*

Manege sms’t ze terug.

Direct daarna wordt ze gebeld.

‘Schiet je een beetje op?’ vraagt haar moeder. ‘We eten over een halfuur.’

‘Goed,’ zegt Rosa. ‘Wat kook je?’

‘Andijviestamppot.’

'Lekker!' Ze is blij dat ze vanavond niet alleen is.

Voor ze haar fiets gaat halen, loopt ze nog even langs Zefirs stal. Karin is allang naar huis en Gea heeft zich niet laten zien. Rosa maakt de schuifdeur open en ziet dat de longeerlijn onder de voerbak ligt. Die is Karin zeker vergeten. Rosa kan hem opruimen, ze weet waar de sleutel van het kastje ligt. Maar ze doet het niet. Ze rolt de lijn wel op en hangt hem aan de box. Anders kan Zefir erin trappen en zijn been verwonden.

Als ze naar huis rijdt, verzint ze opnieuw dat Gea en Laura huilend naar haar toe komen om te zeggen dat ze spijt hebben.

We hebben het helemaal verkeerd gedaan, snikken ze in haar gedachten. *Om het goed te maken mag je net zo vaak op hem rijden als je maar wilt, en je hoeft er niks voor te betalen.*

Als ze thuis is en haar fiets op slot zet, moet ze haar wangen afdrogen. Zonder dat ze het merkte, heeft ze gehuild.

Donna en Sem

Rosa zit op de bank. Naast haar staan een schoteltje met koek, chocola en een zakje chips. Haar ouders zijn na het eten bij vrienden op bezoek gegaan.

'We zijn maar twee uurtjes weg,' heeft haar moeder gezegd. 'En je mag opblijven tot we thuiskomen, want morgen is het zaterdag.'

Rosa heeft Donna niet meer gesproken sinds ze Karin met Zefir hielp. Eindelijk kan ze haar bellen. Ze toetst Donna's nummer in.

'Wat ben jij aan het doen?'

'Televisiekijken,' zegt Donna. Ze heeft haar mond vol.

'Wat eet je?'

'Chips.'

'Ik heb ook chips. Was je in het eetcafé?'

'Nee,' zegt Donna. 'Ik heb bij Sem gegeten.'

Rosa slikt. Ze ziet een gezellige eettafel voor zich, met in het midden een dampende schaal gehaktballen.

'Mijn school is vlak bij hem in de buurt,' gaat Donna verder. 'Ik was even bij hem langsgegaan. En zijn moeder vroeg of ik bleef eten.'

Rosa zegt niets.

'Weet je dat hij echt aan het tekenen geslagen is? Dat komt door jou. Hij had al drie tekeningen af.'

'O ja?' Het klinkt bibberig.

'Zullen we morgen samen bij hem langsgaan?'

'Goed,' zegt Rosa.

'Haal jij mij op?'

'Oké.'

Als ze hebben opgehangen barst Rosa in huilen uit. Ze

had lekker lang met Donna willen kletsen over alles en iedereen. In plaats daarvan hebben ze alleen maar een afspraak gemaakt.

Zijzelf woont te ver weg om zomaar even bij Sem langs te gaan. Hij is nu Donna's vriend en zij hoort er niet meer bij. Net nu Zefir Karins verzorgpony is geworden.

Rosa veegt haar ogen af aan haar trui, trekt haar benen op en slaat haar armen om haar knieën. Ze kijkt een tijdje naar de tv.

Het wordt laat. Haar ouders blijven lang weg. Ze vinden het natuurlijk veel leuker om ergens anders te zijn dan thuis, bij haar.

Ligt het aan haarzelf? Is ze saai? Misschien trekt Donna ook liever met Sem op. Die praat veel meer dan Rosa en hij maakt grapjes. Zijzelf is meestal stil. Verlegen. Een soort Bertil.

Maar vindt ze Bertil dan ook saai? Helemaal niet. En dat hij verlegen is, vindt ze niet erg.

Rosa staat op en loopt naar de slaapkamer van haar ouders. Daar hangt een grote spiegel. Ze kijkt naar zichzelf. Ze is de laatste tijd gegroeid. Haar heupen worden rond en ze heeft een slanke taille. Ze wrijft voorzichtig over haar borst. Een tepel doet een beetje pijn.

Op de kaptafel van haar moeder staat een lippenstift. Ze doet een beetje op haar lippen. Nu lijkt ze ineens ouder dan elf jaar.

Zou Donna verliefd zijn op Sem? In haar klas zijn meisjes die al verkering hebben. Dat zeggen ze tenminste. Zij is nooit verliefd en zeker niet op Sem.

Ze probeert zich voor te stellen hoe het zou zijn als Donna echt met Sem zou gaan. Zouden ze dan nooit meer samen naar de manege gaan, en ook niet meer naar het eetcafé?

Met een driftig gebaar veegt ze de lippenstift van haar mond.

Ze heeft dorst. Ze loopt naar de keuken en vult de waterkoker met water.

Als haar ouders een uur later thuiskomen, zit Rosa met een tweede kop thee op de bank televisie te kijken. De koekjes en de chocolade zijn op.

'Sorry schat,' zegt haar moeder terwijl ze naast Rosa gaat zitten en een arm om haar heen slaat. 'We hebben je veel te lang alleen gelaten. Heb je zitten wachten?'

Rosa knikt.

'We waren de tijd vergeten,' zegt haar vader verontschuldigend.

'Nee, jullie waren mij vergeten,' zegt Rosa.

Karin en Zefir

Rosa kijkt naar de tekeningen van Sem. Hij heeft al een schetsboek vol. Het zijn tekeningen van onderzeeboten, zeilschepen en ridders. Sem kan ook paarden tekenen.

'Wat mooi!' roept Rosa. 'Ik wist niet dat je dat kon.'

'Ik heb het heel lang niet gedaan,' zegt Sem blozend. 'Ik doe liever spelletjes op de computer. Maar dat mag nu niet.'

'Hoe lang moet je nog thuisblijven?' vraagt Rosa.

'Nog een paar dagen.'

'Je zei gisteren dat je nog twee weken moest,' zegt Donna blij.

'Dat dacht ik,' zegt Sem. 'Maar mijn vader heeft de dokter gebeld. Na het weekend mag ik halve dagen naar school. Als het goed gaat.'

Rosa kijkt naar buiten. Zal ze vast naar de manege gaan?

'Is er iets?' vraagt Donna.

Rosa schudt heftig haar hoofd. Ze wil niet dat Donna weet wat ze denkt. Ze is bang om ruzie te krijgen.

Onderweg naar Sem heeft ze heel gewoon gedaan. Donna vertelde dat ze 's avonds naar haar vader en zijn vriendin zou gaan.

'Ik moet meteen na de les weg,' klaagde ze. 'Ik heb helemaal geen zin. Kun jij niet een keer meegaan? Dan is het minder erg.'

Rosa had meteen ja gezegd. Ze is blij dat Donna niet weet dat ze jaloers is. Maar eigenlijk weet ze niet of ze met haar mee durft. Ze gaat nooit uit logeren.

Donna kijkt op de klok.

'We moeten weg,' kondigt ze aan.

'Nemen jullie Bertil nog mee?' vraagt Sem.

'Die mag niet op zaterdag,' zegt Donna.
'Vandaag wel. Zijn ouders gaan de stad in en hij mag straks naar mij toe. Maar toen vertelde ik dat jullie naar de manege gaan. Je had zijn gezicht moeten zien.'
Rosa glimlacht. Bertil is echt helemaal ponygek. Dat zijn jongens niet zo vaak.

'Zullen we hem gaan ophalen?' zegt Rosa.
'Oké!' Donna staat op en trekt haar jas aan. Sem loopt mee naar de deur.

'Wat zijn jullie laat,' zegt Donna's moeder als ze de kantine van de manege binnenkomen. Ze zit aan een tafeltje met iemand die straks om elf uur ook rijdt.
'Heb je al gepoetst?' vraagt Donna.
'Nee, ik wilde net naar de stal gaan. Helpen jullie me?'
'Goed,' zegt Donna. 'Wie heb je?'
'Marcel.'
Rosa kijkt naar Bertil.
'Wil jij ook helpen?'
Bertil kijkt naar de vloer.
'Ik ga naar Simba,' zegt hij bijna onhoorbaar.
'Oké.'
Donna, Annet en Rosa gaan naar de stand waar Marcel staat, naast King.
'Je moet zelf de hoeven uitkrabben,' zegt Donna.
Annet kijkt Rosa aan.
'Doe maar,' zegt Rosa. 'Dat kun je nu wel.'

Even later staat Marcel klaar.
Annet moet wachten voor ze het paard mee mag nemen naar de binnenrijbaan. Donna en Rosa lopen er alvast heen om te zien of de deur open is.
Als ze langs de box van Colorado komen, blijft Donna staan.

'Ik hoop dat ik hem straks weer heb,' zegt ze. 'Wie wil jij?'

Zefir, denkt Rosa verlangend.

'Tiptop,' zegt ze. 'Maar ik vind Caprilli ook leuk. En Mirke en Hermelien.' Ze kan ze allemaal wel opsommen. Eigenlijk is er niet één pony die ze vervelend vindt. Dorrit misschien, omdat ze bokt.

Uit de box naast die van Colorado, klinkt een gesmoord geluid. Met een ruk kijkt Rosa op. Donna doet een stap opzij en gluurt naar binnen.

'Hee, Karin,' zegt ze. 'Wat doe jij daar?'

Rosa gaat schuin achter Donna staan, precies zo, dat Karin haar niet kan zien.

'Ik moet Zefir poetsen voor Laura,' zegt Karin. 'Maar hij hapt steeds naar me. En hij wil zijn hoeven niet optillen.'

'Ben jij hun bijrijdster geworden?' vraagt Donna.

'Nog niet echt vast,' zegt Karin aarzelend. Ze schuift de boxdeur open en stapt naar buiten. In haar ene hand heeft ze een hoevenkrabber, met haar vrije hand veegt ze een lok haar uit haar ogen.

'Hij is hartstikke mooi, ik vind hem echt een onwijs gave pony, maar hij moet aan mij wennen. En hij kan nog niet zo veel.'

Rosa spert verbijsterd haar ogen open. Hij kan nog niet zo veel? Hoe kan die rare meid dat zeggen? Ze kan zelf niks, Zefir kan alles!

Donna is in de lach geschoten.

'Hoe bedoel je?' vraagt ze.

'Nou, ik heb hem al een keer gelongeerd, maar toen bleef hij stilstaan. En die keer dat ik op hem reed, begreep hij niet wat ik van hem wilde.'

Rosa weet niet hoe ze het heeft! Karin vertelt niet eens aan Donna dat zij haar donderdag heeft moeten helpen met longeren, omdat ze het nog nooit had gedaan. Karin begrijpt gewoon niet dat Zefir zijn hoeven niet optilt en niet naar de hulpen luistert omdat hij geen zin heeft in het onhandige gepruts van een beginner.

Donna draait zich om naar Rosa.

'Kun jij haar niet even helpen met de hoeven?' vraagt ze giechelend.

Rosa schudt heftig nee. En dat is maar goed ook, want Laura komt aanlopen. Ze kijkt met opgetrokken wenkbrauwen naar Rosa en Donna.

'Lukt het niet?' vraagt ze aan Karin. 'Je bent nog helemaal niet opgeschoten!'

'Hij is wel gepoetst, hoor,' verdedigt Karin zich.

Ze zegt er niet bij dat Zefirs hoeven nog vuil zijn.

Rosa loopt snel weg. Ze wacht niet af of Donna meekomt. Ze heeft geen zin om met Laura te praten. Op weg naar de kantine loopt ze Tamara tegen het lijf.

'Hoofdstellen in!' roept zij met een luide stem.

Dat betekent dat het vijf voor elf is. Laura is laat.

Rosa gaat naar de kantine. Daar zit Bertil al klaar bij de ruit. Hij vindt het leuk om naar de lessen te kijken.

'Was Simba lief?' vraagt ze.

Bertil glimlacht verlegen.

'Zefir krijgt een nieuw meisje als verzorgster,' vertelt Rosa plotseling.

Bertil kijkt op.

'Ze is heel raar,' gaat Rosa verder. 'Ze kan niks maar ze doet net of ze alles weet.'

Bertil knikt.

'Ze heet Karin,' zegt Rosa. 'Ze moest Zefir poetsen maar ze had zijn hoeven niet eens uitgekrabd. En het zadel lag er nog niet op, toen die oudere zus van Gea binnenkwam, je weet wel, Laura. Ik ben benieuwd of ze kwaad was op Karin. Tegen mij liep ze altijd over alles te schelden.'

Bertil keert zijn gezicht naar de binnenrijbaan.

Laura stapt binnen, met Zefir aan haar hand. Ze is de laatste die opstijgt.

Donna komt even later de kantine binnen. Ze schuift bij Rosa en Bertil aan.

'Laura deed poeslief tegen Karin,' zegt ze. 'Begrijp jij dat nou, Roos? Jij deed alles goed en je kreeg een grote mond. En die meid doet maar raak en Laura zei nog dankjewel ook!'

'Karin kan niks,' zegt Rosa.

Ze kijken een poosje naar de les. Laura rijdt goed. Zefir loopt met een mooie gebogen hals, zijn hoofd precies recht. Aan de teugel heet dat.

Toch heeft Laura het niet naar haar zin. Haar mondhoeken wijzen naar beneden. Deze les is veel te gemakkelijk voor haar. Maar het is het enige uur dat er volwassenen rijden en Laura voelt zich met haar vijftien jaar te groot voor de ponykinderen.

Voor haar rijdt Annet. Marcel loopt in een sloom sukkeldrafje. Rosa ziet dat Laura iets tegen Annet roept, terwijl ze Zefir achter haar vandaan stuurt. Annet draait zich half om en kijkt verbaasd. Even later maakt de groep een S en verandert van hand.

Rosa herkent de figuur, doordat de ruiters op de helft van de lange zijde aan een bocht beginnen. Annet begrijpt niet wat de bedoeling is en komt helemaal verkeerd uit.

Laura's mond gaat open. Met een chagrijnig gezicht zegt ze iets.

Rosa stoot Donna aan. 'Zie je dat?'

'Wat een kreng is het toch,' zegt Donna.

Axel wijst Annet hoe ze een S-figuur moet rijden en zegt tegelijk iets tegen Laura. Die haalt haar schouders op.

Karin is de kantine binnengekomen en gaat naast het tafeltje staan waar Rosa, Bertil en Donna zitten

'Hij kan dus wel aan de teugel lopen,' zegt ze over Zefir. 'Misschien moet ik hem harder aanpakken, de volgende keer.'

Rosa en Bertil kijken strak voor zich uit, maar Donna geeft antwoord: 'Dat zou ik maar uit mijn hoofd laten. Zefir wil ruwe ruiters nog wel eens van zijn rug gooien.'

Karin snuift.

'Wie zegt dat ik ruw ben? Ik laat hem gewoon weten wie de baas is.'

'Wanneer rij je weer?' vraagt Donna.

'Maandag.'

Rosa weet in welke les ze dan rijdt. Het is het speciale uur voor pensionpaarden en dan is het hartstikke druk, want het is gratis.

'Ik kom beslist kijken,' zegt Donna vals. 'Ik wil wel eens zien hoe jij Zefir uitlegt wie de baas is.'

Rosa moet lachen, maar ze durft niet. Karin draait zich om en loopt weg.

De les is bijna afgelopen. De paarden lopen aan een lange teugel, met hun hoofd naar beneden. Zefir heeft hard gewerkt, hij laat zijn hele hals hangen. Dat is goed.

Annet heeft rode wangen. Marcel is erg braaf maar hij gooit hoog op. Als hij draaft beweegt zijn rug nogal. Vooral voor een beginner, zoals Annet, rijdt dat niet lekker. Alleen in galop is hij fijn.

'Zullen we je moeder helpen afzadelen?' stelt Rosa voor.

Met z'n drieën gaan ze naar de stal om Annet op te vangen. Daar staat Karin ook. Die moet Zefir verzorgen, weet Rosa. Laura is daar te lui voor.

De deur van de rijbaan gaat open en de eerste ruiters komen naar buiten, met hun paard aan de rechterhand. Annet is de laatste.

'Drie helpers!' roept ze lachend uit. 'Ik lijk de koningin wel.'

Donna neemt de teugel van haar moeder over.

Samen zadelen ze Marcel af. Bertil mag het hoofdstel afspoelen, Rosa laat zien hoe ze de staldeken op de paardenrug legt. Donna brengt het zadel naar de zadelkamer. Annet doet de gespen dicht.

Als ze teruggaan naar de kantine, kan Rosa het niet laten en kijkt even naar de box van Zefir. Ze hoort Karin vloeken en ziet dat de pony zijn oren plat heeft.

Zo te zien is Karin niet bepaald de baas.

Tamara heeft inmiddels de namen van de kinderen die 's middags rijden op het bord ingevuld.

Donna's wens is uitgekomen, ze heeft Colorado. Rosa heeft Dorrit. Het zweet breekt haar meteen uit.

'Ik durf niet,' zegt ze.

'Kom op, je kunt het,' zegt Donna. 'Als Sem op Dorrit durft, kun jij het zeker. Jij rijdt beter dan hij.'

'Hoe kom je dáár nou bij!'

'Sem is niet bang,' zegt Donna. 'Maar eigenlijk zit hij er als een krant op. Hij doet maar wat. Jij bent veel zachter, rustiger. Volgens mij doet Dorrit dan niks.'

Maar Rosa blijft zenuwachtig. Ze durft niet aan Tamara te vragen of ze op een andere pony kan. Ze weet dat Axel en Tamara een hekel hebben aan kinderen die zeuren over de indeling van de pony's. Ze weet al wat Tamara zal zeggen: 'Als ik dacht dat je het niet kon, had ik je niet op Dorrit gezet.'

Ze blijven in de kantine naar de lessen kijken tot het tijd is om te gaan poetsen.

Bertil loopt met Rosa mee. Omdat hij erbij is, wil Rosa niet laten zien dat ze eigenlijk bang is. Ze loopt kalm de stand op en haalt een stukje wortel uit haar bodywarmer. Dorrit pakt het gulzig aan en duwt meteen haar snoet in Rosa's zak. Rosa tilt haar hand op.

'A-ah!' verbiedt ze. Bertil is naast haar komen staan.

'Mag ik haar hoef optillen?' vraagt hij.

Rosa knikt. Bertil gaat met zijn rug naar Dorrits hoofd gekeerd staan en buigt zich over haar voorbeen.

'Voet!' roept hij. Dorrit tilt onmiddellijk haar been op. Bertil harkt wat rond in de hoefzool om het vuil uit de straal, de v-vormige binnenkant, te krabben, maar hij is niet sterk genoeg.

'Zal ik het afmaken?' biedt Rosa aan. 'Dan moet jij opletten dat ze mij niet bijt.'

Maar Dorrit is heel rustig. Ze snuffelt wat aan Bertil, maar ze laat zich gemakkelijk poetsen en zadelen. Het lijkt wel of dat door Bertil komt.

Tegen de tijd dat Rosa haar pony mag meenemen naar de rijbaan, is ze helemaal rustig.

Donna zit al en stapt op de hoefslag. De les is nogal vol. Ze rijden met twaalf pony's.

Dorrit maakt even een zijsprongetje terwijl Rosa de singel wat strakker doet, maar ze laat haar zonder protest opstijgen.

Axel kijkt toe of iedereen zonder hulp in het zadel komt. Hier en daar helpt hij kinderen met opstijgen en aansingelen. Dan begint de les.

Oma's mening

Donna brengt Bertil thuis, want ze komt praktisch langs zijn huis. Ze wil ook nog héél even bij Sem op bezoek gaan, voordat ze naar haar vader gaat, zei ze. Toch is Rosa nu niet jaloers. Ze vindt het zelfs wel prettig dat ze even alleen is. Ze heeft zo veel om over na te denken!

Ze heeft heerlijk gereden. Axel raadde haar aan in het begin heel veel voltes te rijden. 'Dan heeft Dorrit iets te doen en kan ze zich niet met de andere pony's bemoeien,' zei hij.

Dat had Rosa gedaan en ze voelde dat Dorrit het leuk vond onverwachte figuurtjes te rijden. Toen moest de hele groep tempowisselingen rijden; dan weer eens snel stappen, dan weer gewoon, dan draf, dan stilstaan. Rosa hoefde steeds minder te doen om haar pony te laten luisteren. Dorrit deed braaf wat Rosa vroeg. Bij de galop leek het even of ze toch nog wilde gaan bokken, maar Rosa stuurde haar meteen op een volte.

'Goed zo!' riep Axel. En ze had nog een bewonderaar. Achter het raam van de kantine zag ze Bertil gespannen naar haar kijken. Zijn ogen glansden. Ze galoppeerden een poosje en gingen toen weer in draf. Alles was goed gegaan!

Rosa was zo trots dat ze vergat om bang te zijn. Ze ontspande zich helemaal en toen gebeurde er een wonder: Dorrit boog haar hals en kwam aan de teugel. Het duurde niet zo heel lang, na twee rondjes hief ze haar hoofd weer, maar toch had Rosa even kunnen voelen hoe fijn Dorrit is.

Ze is bijna thuis. Als ze de fiets in de stalling heeft gezet, gaat ze met de lift naar de derde etage. Ze doet de voordeur open en loopt de gang in. Haar moeder komt net de keuken uit. Ze draagt een dienblad met een theepot en kopjes.

'Wil jij ook thee? Oma is er. Ga maar gauw een zoen geven. Je bent laat.'

Rosa is helemaal niet laat. Ze is tegelijk met Donna en Bertil weggegaan, direct na de les. Haar moeder is weer eens vergeten op welk uur Rosa rijdt.

In de woonkamer zit oma in de grote stoel. Rosa's vader zit op de bank. Hij heeft de krant op zijn knieën, maar hij heeft zijn bril niet op. Hij leest hem dus niet.

'Maar ze hadden heel behoorlijke koffie,' zegt oma. 'Dat dan weer wel.'

'Mmm,' zegt Rosa's vader.

'Hoi oma, waar hadden jullie het over?' Ze geeft oma een kus en gaat naast haar vader zitten.

'Over een eetcafé waar ik met een vriendin heb gegeten.'

'Waar was dat?' vraagt Rosa.

'Op de Sofialaan.'

'De Os!' roept Rosa blij uit.

'Hoe weet jij dat nou?' vraagt haar moeder.

'Dat is het café van Donna's moeder. Niet echt van haar, maar daar werkt ze. Ik kom er heel vaak,' voegt ze er voor oma aan toe.

Oma trekt haar wenkbrauwen op.

'Hang jij rond in cafés? Op jouw leeftijd.'

Rosa krijgt een kleur. Haar moeder ook.

'Nee ma, Rosa hangt niet rond in cafés,' zegt ze kribbig. 'Ze heeft een vriendinnetje met wie ze wel eens meegaat. De moeder van dat meisje is kokkin. Zo is het toch Roos?'

'Ja.'

Rosa gluurt naar haar vader om te zien of hij zich er ook mee gaat bemoeien. Hij heeft nu een bril op en de krant is opengevouwen.

'We zitten meestal in de keuken en dan helpen we met groente schoonmaken.'

'Kinderarbeid,' moppert oma.

'Ach welnee!' zegt Rosa's moeder. 'Wil je thee?'

Ze schenkt oma's kopje met zo'n vaart in, dat de thee over de rand golft.

'Sorry!'

Rosa staat op.

'Wat ga je doen?' vraagt oma.

'Mijn paardrijkleren uitrekken en even onder de douche,' zegt Rosa. 'Ik kom zo weer terug.'

'Ik schenk vast thee voor je in,' zegt haar moeder. Ze kijkt boos.

'Pffff,' zucht Rosa, zodra ze in haar kamer is. Oma bedoelt het heel lief. Maar ze kan zich beter niet met Rosa's opvoeding bemoeien. Trouwens, zo slecht doen haar ouders het niet. Rosa zou alleen willen dat ze wat vaker thuisbleven. Aan de andere kant begrijpt ze wel dat haar vader en moeder graag iets leuks willen doen. Zijzelf gaat ook liever naar de manege dan dat ze thuis zit.

Zou ze maandag naar de pensionpaardenles kunnen gaan kijken? Als haar ouders ergens naartoe moeten, naar een vergadering of naar kennissen, kan het misschien. Het is beter om niet rechtstreeks te vragen of ze weg mag.

Nu oma weer eens heeft zitten mopperen over de gang van zaken, gaan ze vast extra hun best doen om goede ouders te zijn. Rosa staat met een trui in haar handen voor zich uit te staren. Hoe moet ze het aanpakken?

Met een zucht trekt Rosa de trui over haar hoofd en steekt haar armen in de mouwen.

Als ze even later weer in de woonkamer zit, is haar thee lauw. Oma zit in een tijdschrift te bladeren en haar vader leest de krant.

'Waar is mama?'

‘In de keuken,’ zegt oma.

Rosa neemt haar lege kopje mee naar de keuken. Haar moeder zit aan de keukentafel te sms’en. Als ze opkijkt bloost ze.

‘Wat doe je?’ vraagt Rosa nieuwsgierig.

‘Ik sms.’

‘Naar wie?’

‘Een collega,’ antwoordt haar moeder vaag. Dan kijkt ze Rosa ondeugend aan.

‘Ik wil eigenlijk nog weg, maar het staat zo onaardig als ik oma hier zo laat zitten. Als mijn collega me nou even belt, kan ik zeggen dat het dringend is.’

‘Ooo!’ doet Rosa bestraffend.

Haar moeder knikt. ‘Erg hè?’

‘Ja!’

‘Maar ze is hier al vanaf vier uur en ze blijft ook eten. Ik mag best héél even weg.’

‘Wie kookt er dan?’

‘We doen wel een pizza,’ zegt haar moeder.

‘Zal ik koken?’

Rosa heeft van Annet een paar gerechten leren maken.

‘Nee hoor!’ zegt haar moeder geschrokken. ‘Dat is vast ook kinderarbeid.’

‘Maar ik wil geen pizza.’

Haar moeder zucht. Dan gaat haar mobiel.

‘Nou heb ik er niks aan,’ zegt ze tegen de collega. ‘Laat maar, het is al goed.’

Ze staat op en klapt in haar handen.

‘Oké, ik ga een goede moeder en een brave schoondochter zijn. Zal ik spaghetti maken?’

‘Zonder vlees,’ zegt Rosa.

‘Met een héél klein beetje gehakt voor de smaak,’ zegt haar moeder. ‘En nu niet meer zeuren.’

Ze gaan samen naar de woonkamer.

‘Ik maak straks spaghetti,’ kondigt Rosa’s moeder aan. ‘En Rosa wil vast wel een spelletje met oma doen. Hebben jullie zin in Rummikub?’

‘Goed,’ zegt oma. Ze legt het tijdschrift weg.

Rosa pakt het spel en zet de plankjes klaar.

Even later zitten ze ingespannen te spelen. Rosa’s vader leest de krant en haar moeder kookt. Ze zijn een ideaal gezin.

Karin heeft er verstand van

Het gezellige gezinsleven gaat op zondag verder. Ze gaan 's middags met zijn drieën naar de film en daarna patat eten.

Op maandag is alles weer gewoon.

's Ochtends zegt Rosa's vader dat hij niet thuis komt eten omdat hij 's avonds gaat schaken. En haar moeder zegt met een schuldig gezicht: 'Roos, vind je het heel erg om vanavond een pizza voor jezelf te maken? Ik ben niet laat thuis, om halfnegen ben ik zeker terug, maar ik moet die collega nog spreken, je weet wel.'

'O ja!' zegt Rosa blij. 'Die jou zaterdag belde bedoel je. Nee hoor, het geeft niks.'

Rosa is allang blij dat ze naar de manege kan. De pensionpaardenles is om zeven uur. Als Donna mee mag, kunnen ze samen gaan.

Ze gaat naar haar kamer om rustig te kunnen sms'en: *kun jij na school naar de manege?*

Even later gaat de vaste telefoon.

'Donna voor jou!' roept Rosa's moeder.

'Je moet zo weg, hoor!' waarschuwt ze terwijl ze Rosa de telefoon geeft.

'Ik weet 't.'

'Ik kan vanavond niet,' zegt Donna. 'Ik heb Sem beloofd dat ik langskom.'

Rosa zegt niets. Het nare gevoel begint weer.

'Ik bel jou vanavond wel,' zegt Donna.

'Opschieten Roos!' roept haar moeder.

'Ik moet naar school,' zegt Rosa en hangt op.

De hele dag blijft het vervelende gevoel hangen. Ze weet niet precies wat het is, maar het voelt weer alsof ze voor niemand belangrijk is. De kinderen in de klas praten niet met haar. Dat is haar eigen schuld. Ze was vroeger zo verlegen dat ze nooit antwoord gaf. Daarom zegt niemand meer iets tegen haar.

In de pauze vraagt ze of ze in het lokaal mag blijven om de cavia, die achter in de klas staat, schoon zaagsel te geven. Het mag. Terwijl de andere kinderen naar buiten stommelen, kijkt ze hen na. De meeste meisjes hebben een of twee vaste vriendinnen, de jongens zijn meestal met een groepje. Voordat zij Donna als vriendin had, was ze altijd alleen.

Ze is niet boos op Donna. Het zou een mooie boel worden als zij niet naar Sem zou mogen omdat Rosa het niet leuk vindt. Maar ze had zich er zo op verheugd om met z'n tweeën te gaan kijken als Karin rijdt.

Eigenlijk is het best gemeen van haar. Ze wil gewoon zien dat Karin Zefir niet aankan, in ieder geval niet zo goed als zijzelf. En er dan met Donna over roddelen. Bah, ze vindt zichzelf een naar kind.

Ze pakt de cavia op en zet hem met een beetje hooi in een emmer. Dan haalt ze de kap van de kooi en gooit het vuile zaagsel in de prullenbak.

Eigenlijk is het zielig dat de cavia ook niemand heeft. Er was vroeger nóg een cavia, maar die is dood. Zouden dieren elkaar missen? Zouden ze jaloers zijn op elkaar? Paarden doen lelijk als de voerwagen langskomt. Dan gunnen ze elkaar het eten niet. Maar als ze vriendjes zijn kunnen ze samen grazen of samen hooi delen. Een paard wil niet alleen zijn. Een cavia vast ook niet en een mens al helemaal niet.

Ze zou na school naar huis kunnen gaan. Dan is ze geen vals kreng. Maar bij de gedachte dat ze in het lege huis een pizza moet eten, rilt ze. Nee, ze gaat naar de manege. Ze kan

Tamara helpen met voeren en ze kan altijd vóór de les begint weggaan. Dan doet ze ook niets verkeerd.

Als ze om halfvier op de manege aankomt, gaat alles vanzelf, zonder dat ze er iets aan doet. Tamara staat bij het schoolbord in de kantine de avondlessen op te schrijven.

'Jou heb ik nodig,' zegt ze als ze Rosa ziet. 'Wil jij voor mij in de zadelkamer alle beugelriemen nakijken? Als het stiksel los zit, al is het maar een beetje, schrijf je de naam op van de pony van wie het zadel is. Kun je dat?'

Rosa knikt. Het is een leuk klusje en het is belangrijk dat iemand het doet, want als een beugelriem plotseling afscheurt, kun je de grootste ongelukken krijgen.

'Doe maar eerst de zadels van de pony's die straks de les in gaan,' zegt Tamara. 'Daarna kun je de andere nakijken.'

Rosa gaat onmiddellijk naar de zadelkamer. Ze heeft van Barbara een schrijfblokje gekregen en een pen. Een voor een kijkt ze de leren riemen waar de ijzeren stijgbeugels aan hangen na. Er zijn er een paar die een beetje kapot zijn. Dat is nu nog niet erg, maar ze moeten wel bijtijds gemaakt worden.

Als ze klaar is, mag ze helpen voeren en dan moet ze de stal aanvegen.

'Ga straks maar een bordje patat halen in de kantine,' zegt Tamara. 'En neem wat te drinken. Je hebt hard gewerkt.'

Rosa had er niet meer aan gedacht om te eten. Maar nu Tamara het zegt, voelt ze dat ze honger heeft. Het is ook al bijna zes uur.

Terwijl ze aan een tafeltje zit te eten, komt Karin binnen. Als ze Rosa ziet, komt ze meteen naar haar toe.

'Kun jij me helpen om Zefir vast te zetten?'

Rosa fronst haar wenkbrauwen.

'Hoezo vastzetten?'

‘Aan een halster,’ verduidelijkt Karin. ‘Dan kan hij niet bijten terwijl ik hem poets.’

Rosa heeft Zefir nog nooit vast hoeven te zetten.

‘Zijn Gea en Laura er niet?’ vraagt Rosa.

‘Nee.’

Rosa propt gauw de laatste patatten in haar mond en spoelt ze weg met appelsap. Dan staat ze op en loopt met Karin mee de stal in.

Zefir kijkt wantrouwig op als Karin zijn box binnenstapt. Hij steekt zijn hoofd recht omhoog en keert zich half om. Rosa ziet dat hij ook nog van plan is een hoef op te tillen om te trappen. Wat is er toch met hem gebeurd dat hij zo lelijk doet?

Zefir is nooit een knuffelpony geweest, maar zo erg als hij nu doet heeft Rosa nog niet meegemaakt.

‘Ga eens achter mij staan,’ zegt ze tegen Karin. Het blonde meisje doet gehoorzaam een stap terug.

‘Niet bewegen,’ zegt Rosa. Zo staan ze een minuut, terwijl Rosa langs Zefir heen kijkt en probeert rustig adem te halen. Eerst lijkt er niets te gebeuren, maar dan laat Zefir zijn hoofd zakken en begint hij aan zijn hooi te knabbelen.

‘Je kunt hem misschien beter niet vastzetten,’ zegt Rosa. ‘Daar raakt hij alleen maar overstuur van. Heb je een hoevenkrabber bij de hand?’

Karin reikt haar een hoevenkrabber aan. Het is een blauwe. Hij komt uit het werkkastje waar Zefirs spullen in zitten. Rosa herkent hem.

Ze buigt zich voorover en zegt zachtjes: ‘Voet, Zefie!’

De pony tilt kalm zijn voet op. Rosa maakt zijn hoeven schoon.

‘Ik denk dat je hem nu wel kunt poetsen,’ zegt ze. ‘Niet snel bewegen, alles héél langzaam doen. Dat heeft hij het liefst.’

‘Hij heeft echt geen opvoeding gehad, hè?’ zegt Karin.

‘Het is maar goed dat ik met hem aan het werk ga.’

‘Huh?’ Rosa weet echt niet hoe ze het heeft. Hoe kan Karin zoiets debiels zeggen?

Ze haalt haar schouders op en gaat de box uit. Even vecht ze tegen de aandrang om te blijven staan kijken hoe het gaat. Maar ze bedwingt zich. Zij is Zefirs verzorgster niet meer. Ze gaat terug naar de kantine en gaat voor de ruit zitten.

Was Donna maar bij haar. Dan konden ze lachen. Nu valt er niks te lachen. Het is net of ze naar een film zit te kijken waarvan ze weet dat hij slecht afloopt.

De pensionpaarden en -pony’s komen een voor een de rijbaan in. De ruiters stijgen op en Tamara gaat in het midden staan. Zij geeft vandaag les.

Eerst gaan ze een poosje in stap, dan draven ze met een halflange teugel. Dan kun je als ruiter de mond van je paard nog net voelen, weet Rosa. Toen ze nog op Zefir reed, begon zij ook altijd op die manier.

Op een commando van Tamara steken ze schuin over en gaan over op de andere hand. De teugels worden korter gemaakt en het echte werk gaat beginnen.

Mensen met een eigen paard kunnen meer dan manegeruiters die één keer in de week rijden. Rosa herkent de twee vriendinnen van Donna’s moeder, die de tantes worden genoemd. Zij hebben allebei een eigen paard en rijden hartstikke goed. Hun paarden buigen bijna meteen hun hals en gaan aan de teugel lopen.

Aan de oefeningen die Tamara opgeeft kan Rosa ook zien hoe moeilijk deze les is. De paarden moeten wijken voor het been. Dan lopen ze in een schuine lijn, terwijl ze hun benen telkens kruisen. Karin brengt er niks van terecht. Zefir doet maar wat. Maar ze hangt gelukkig niet aan de teugels. Anders zou hij vast gaan bokken of wegspringen.

Tamara's blik blijft even op Zefir rusten, maar dan draait ze zich om en geeft iemand anders een aanwijzing.

Na de schuine lijnen moeten de paarden galopperen. Rosa leunt voorover en houdt Zefir in de gaten. Hij springt niet in galop, maar draaft steeds harder. Karin schopt met haar benen, maar het lukt haar niet om hem te laten galopperen.

Tamara roept iets. Rosa kan niet horen wat ze zegt, maar alle paarden gaan in draf, dan in stap en Karin stuurt Zefir naar het midden. Daar blijft ze staan, terwijl de anderen van hand veranderen en opnieuw aanspringen in galop.

Als de les is afgelopen, staat Rosa op. Ze moet naar huis. Maar ze wil wel zeker weten dat Karin Zefir netjes op stal zet. Voor ze naar de fietsenstalling gaat, loopt ze langs zijn box. Karin stapt net naar buiten.

'O, kun jij hem zijn deken even opdoen?' vraagt ze. 'Ik had het anders wel aan Tamara gevraagd, maar nu jij er toch bent.'

Het komt even in Rosa op om te weigeren. Maar ze weet dat Tamara het druk heeft.

'Oké,' zegt ze schouderophalend. Terwijl ze met rustige bewegingen de deken op Zefirs rug legt en de gespen dichtmaakt, zegt Karin: 'Hij kan nog niet eens goed galopperen. Hij heeft nog geen balans.'

Rosa gaat met een ruk rechtop staan. Zefir legt meteen zijn oren plat.

'Heb jij Laura wel eens zien rijden?' vraagt ze.

'Jawel,' zegt Karin onverschillig. 'Afgelopen zaterdag nog. Maar die heeft ook best moeite met hem, hoor.'

Rosa zegt niets terug. Straks moet ze nog gaan uitleggen hoe goed Laura rijdt.

Als ze terugrijdt naar huis, neemt ze zich voor Donna meteen te bellen. Ze gaat gewoon vragen hoe het met Sem is. Ze wil geen jaloers kreng zijn.

Twee uitnodigingen

'Dat méén je niet!' roept Donna.

Rosa luistert blij naar Donna's gierende lach door de telefoon. Ze heeft net verteld hoe het met Karin in de pensionpaardenles ging. Ze zijn allebei alleen thuis.

'Hoe ging het met Sem?' vraagt ze dan.

'Niet zo goed. Hij was een halve dag op school, maar hij kreeg hoofdpijn. Nu moet hij weer een paar dagen thuisblijven.'

'Die kan nog lang niet paardrijden, denk ik.'

'Mmm,' zegt Donna. 'Zullen we woensdag samen bij hem langsgaan?'

Rosa voelt zich warm worden.

'Ja?' vraagt ze onzeker.

'Ja toch?' antwoordt Donna. 'Dan kunnen we Bertil meteen meenemen.'

Het is even stil.

'Je hebt nog niet verteld hoe het bij je vader was,' zegt Rosa.

'O ja!' Donna's stem klinkt meteen ontevreden.

'Was het zo erg?'

'Nou, niet alles was even vervelend. Maar ik had weer bijna ruzie met zijn vriendin. Ik was nog niet binnen of ze begon me al te commanderen. Ik moest meteen onder de douche, want ik kwam uit de manege en dat ene zoontje van haar is allergisch. Ik had nog niet eens hallo tegen mijn vader gezegd.'

'Zegt jouw vader er dan niks van?'

'Die zat in de kamer en ik stond nog op de gang. Trouwens, hij zou toch niks gezegd hebben. Hij vindt alles goed wat zij doet. Daar kan ik zo kwaad om worden!'

'En toen?'

'Ik ging braaf naar de badkamer met mijn weekendtas. Mijn vader wist nog helemaal niet dat ik er was. Toen ik klaar was en andere kleren aan had, was het nog niet goed, want ik had mijn paardenspullen in de gang laten staan. *Straks krijgt Pepijn een aanval!* schreeuwde ze. Een áánval. Van mij! Nou ja! Hij gaat soms een beetje piepen als hij het benauwd krijgt.'

'Kréég hij een aanval?'

'Nee. Het is een leuk jongetje. Hij sleepte me meteen mee om met zijn lego te spelen.'

'Is hij die van vier?'

'Nee, hij is bijna zeven. Die van vier is ook leuk, maar hij huilt veel. En dan komt mammie hem troosten.'

'Dus huilt ie nog veel meer,' vult Rosa aan.

Ze moeten allebei lachen.

'Wat heb je verder gedaan?'

'Niks. Ik heb eigenlijk de hele avond niks gezegd. Alleen tegen die jongetjes, maar die lagen om zeven uur in bed.'

'Merkten ze dat je niks zei?'

'Zij niet. Mijn vader wel, denk ik. Hij gaf me geld om iets leuks te kopen. En hij vroeg hoe het op school ging en of ik nog paardgereden had. Ik heb gevraagd of ik jou een keer mag meebrengen en dat vond hij hartstikke leuk.'

Rosa hoort de voordeur opengaan. Net nu ze zo lekker zit te kletsen met Donna.

'Donna, mijn moeder komt thuis,' zegt ze haastig. 'Zie ik je woensdag bij Sem?'

'Direct na school?'

'Ja!'

'En ga je volgende keer mee naar mijn vader?'

'Ja!'

Net als haar moeder de kamer binnenstapt, hangt Rosa op.

'Had je een vriendje aan de telefoon?' vraagt haar moeder lachend. 'Je kijkt zo betrapt.'

'Betrapt?'

'Net of ik niet mag meeluisteren als je iemand aan de telefoon hebt.'

'Dat is ook zo,' zegt Rosa. 'Waar ben je geweest?'

'Dat gaat jou nou weer niets aan,' plaagt haar moeder. Rosa trekt meteen een boos gezicht.

'Nee hoor,' zegt haar moeder. 'Je mag het best weten. Ik heb samen met een collega foto's uitgekozen voor een reisverhaal. Heb jij televisiegekeken?'

'Ik was even op de manege.'

'Dat had je vanochtend niet gezegd,' zegt haar moeder. 'Roos, dat moet je niet doen hoor! Ik wil weten waar je bent.'

'Je vroeg niks,' zegt Rosa kribbig.

'Je kunt het toch ook uit jezelf zeggen? Vragen,' verbetert haar moeder. 'En dan kunnen wij zeggen of je mag of niet.'

Rosa voelt een golf van woede opkomen.

'Jullie doen zelf alles waar jullie zin in hebben!' schreeuwt ze. 'Papa gaat schaken of naar het café, jij probeerde zaterdag stiekem weg te sluipen toen oma er was en ik moet een zoet kind zijn! Duh!'

Haar moeder draait zich boos om.

'Schei uit met puberen,' zegt ze boos. 'Je bent nog niet eens twaalf. Het is heel gewoon dat je eerst vraagt of je weg mag. En wij verbieden haast nooit wat. En nou ga je naar bed. Het is laat.'

Rosa draait zich zonder wat te zeggen om en gaat naar haar kamer.

Ze is zo kwaad dat ze niet in slaap kan komen. Na een uur hoort ze haar vader thuiskomen. Even later gaat de slaapkamerdeur open.

Haar moeder komt op de rand van haar bed zitten.

'Slaap je niet?' vraagt ze. Rosa geeft geen antwoord.

'Wat een stomme ruzie was dat, hè Roos?'
'Jij bent stom,' moppert Rosa.
'Een beetje wel,' zegt haar moeder en haalt haar hand door Rosa's haar. 'Zullen we het weer goedmaken?'
Ze geeft Rosa een kus en kijkt haar met een schuine blik aan. Er staan lachrimpeltjes naast haar ogen. Rosa zucht.
'Goed,' zegt ze. 'Voor deze ene keer dan.'

Wat doet Gea?

Gea is op de manege. Rosa herkent haar fiets als ze aankomt met Sem, Donna en Bertil.

Sem mag niet rijden, maar hij kan Bertil helpen opzadelen als hij het rustig aan doet en hij kan natuurlijk wel naar de lessen kijken.

'Zullen we naar de kantine gaan?' stelt Donna voor. 'Dan kunnen we zien wie we hebben.'

Tamara komt net het houten trappetje af dat van de gang naar de kantine leidt.

'Zo jongens,' groet ze. 'Hé daar hebben we onze zandruiter.' Dat laatste is tegen Sem.

'Hoe is het?'

'Goed,' zegt Sem. 'Maar ik mag nog niet rijden.'

'Dat is maar goed ook,' zegt Tamara. 'Want ik heb haar op Dorrit gezet.' Ze knikt in de richting van Rosa.

'Zo, jij durft!' lacht Sem.

'Ik had haar vorige keer ook,' zegt Rosa. 'Het was minder eng dan ik dacht.'

'Ze was goed!' klinkt een dun stemmetje.

Verbaasd kijken ze alle drie naar Bertil.

Als hij ziet dat hij in het middelpunt van de belangstelling staat, houdt hij meteen zijn mond.

'Kom,' zegt Sem. 'We gaan kijken op wie jij straks zit.'

Bertil heeft Colorado.

'Hoe kan dat nou?' vraagt Donna. 'Dat is toch geen beginnerspony?'

Maar het is echt zo. Als Sem het na gaat vragen bij Tamara, komt hij terug met de boodschap dat het geen vergissing is.

‘Dat neefje van je is handig,’ had Tamara gezegd.
‘Hij is mijn buurjongen,’ had Sem verbeterd.
‘Hoe dan ook, dat joch is heel rustig met paarden. En Colorado is braaf met beginners.’
‘We moeten hem wel helpen met opzadelen,’ zegt Rosa. ‘Op stal kan hij vervelend doen.’

Sem en Donna zitten met Barbara te praten, die ook een keer een hersenschudding heeft gehad en daar uitgebreide rampenverhalen over kan vertellen. Bertil luistert niet. Hij kijkt telkens op de klok. Rosa staat op en pakt haar tas met poetsspullen.
‘Zullen wij gaan poetsen?’
Sem en Donna blijven in de kantine.
Rosa en Bertil gaan naar de stal. Uit de zadelkamer halen ze het zadel en het hoofdstel. Dan lopen ze door naar Colorado. Rosa kijkt gauw naar de box van Zefir. Die is leeg.
Misschien heeft Gea haar pony meegenomen naar de paddock. Rosa zou wel willen gaan kijken waar hij is, maar ze wil Gea niet zien. Dan bedenkt ze een plannetje.
‘Bertil, wil jij iets voor mij doen?’
Verrast kijkt hij haar aan.
‘Ren even naar de paddock, je weet wel, die kleine ronde buitenbak en kijk of Zefir daar is. Doe maar net of je mij zoekt of Sem. Niks zeggen, alleen kijken.’
Ze pakt hem bij zijn schouder en kijkt hem doordringend aan.
Bertil knikt.

Op een drafje gaat hij weg en komt even later terug.
‘Zij is er niet. Zefir wel. Hij doet raar.’
Rosa fronst haar wenkbrauwen. ‘Wat bedoel je?’
Bertil kijkt naar de grond.
Rosa aarzelt. Ze kijkt van Colorado naar de staldeur en dan weer naar Colorado.

‘Ik haal de deken eraf, dan kun jij vast gaan poetsen. Ik ben zo terug. Moet ik hem nog voor je aan een halster zetten?’

Bertil schudt zijn hoofd.

Rosa moet zichzelf dwingen de deken kalm van Colorado’s rug te halen en niet te laten merken dat ze haast heeft. Bertil staat rustig naast de pony en streelt zijn neus. Hij is echt goed met pony’s. Ze zijn nooit bang van hem.

Als ze zeker weet dat Bertil veilig kan poetsen, gaat ze snel naar de paddock.

Ze ziet in één oogopslag wat Bertil bedoelt. Zefirs flanken trillen en ze kan het wit van zijn ogen zien. Wat is er gebeurd? Langzaam loopt ze naar hem toe. Zijn neusgaten staan wijd open.

‘Zefir?’ zegt ze zachtjes. Zijn oren draaien in haar richting.

Ze roept nog eens. De pony snuift en schudt zijn blonde manen. Rosa maakt lokkende geluidjes. Ten slotte laat Zefir zijn hals zakken en ontspant zich een beetje.

Waar is Gea? Rosa tuurt om zich heen. Ze ziet haar niet. Er lopen wat kleine kinderen rond en een paar volwassenen. Dat zijn vast ouders. Kon ze maar vragen of iemand iets heeft gezien, maar daar is ze te verlegen voor. Zefir komt iets dichterbij. Rosa steekt haar hand naar hem uit. Hij deinst meteen achteruit. Wat is er toch met hem?

Met een zucht draait Rosa zich om. Ze moet Bertil gaan helpen, anders komt hij te laat in de les.

Colorado is inmiddels gepoetst.

‘Heb je de hoeven schoongemaakt?’ vraagt Rosa.

Bertil schudt zijn hoofd.

Rosa pakt de hoevenkrabber.

‘Probeer maar of hij een voet wil geven.’

‘Voet!’ zegt Bertil. Maar zijn stem is te zacht. Colorado doet net of hij niets heeft gehoord.

'Colorado voet!' zegt Rosa streng. De pony tilt meteen een hoef op.

Samen met Bertil zadelt Rosa de pony op en maakt de singel vast.

'Wil je proberen het hoofdstel in te doen?' biedt Rosa aan.

Bertil neemt het hoofdstel van haar over. Rosa laat zien hoe hij het moet vasthouden, in zijn rechterhand, met zijn vuist over het middendeel.

'Eerst doe je de teugel over zijn hoofd. Daar kun je niet goed bij, dus dat doe ik. Nu haal je zijn hoofd met je linkerhand naar je toe en hou je hem met je rechterhand het bit voor.'

Bertil is nog te klein om het echt voor elkaar te krijgen, maar Colorado is wel opvallend braaf.

'Goed gedaan, Bert!' zegt Rosa als Colorado het bit heeft aangenomen en ze de riempjes heeft dichtgegespt. Bertil lacht.

'Rosa,' zegt hij plotseling.

Rosa houdt haar hoofd schuin en wacht af.

'Hoe was het nou met Zefir?'

'Ik weet het niet, Bertil,' antwoordt ze ernstig. 'Het leek wel of hij overstuur was.'

'Zij slaat.'

'Gea?'

Bertil zegt niets.

'Denk jij echt dat zij hem slaat? Dat kan toch niet?'

Op dat moment roept Tamara dat de beginners mogen komen met hun pony's.

Rosa duwt de boxdeur open en loopt met Bertil mee naar de binnenrijbaan. Ze helpt hem met opstijgen en geeft hem een zweepje uit de paraplubak met oude zweepjes, die voor alle ruiters klaarstaan.

Dan gaat ze terug naar de kantine.

Vorige keer zei Bertil ook al dat Gea sloeg. Zou hij het opnieuw hebben gezien? Wanneer dan?

Het kan bijna niet dat Gea haar pony heeft geslagen terwijl hij in de paddock liep. Er zijn daar veel te veel mensen in de buurt. En op stal zou iemand haar kunnen horen. Bertil verbeeldt het zich maar.

Als Rosa terugkomt in de kantine, staat Gea bij de bar. Sem en Donna zitten aan een tafeltje bij de ruit. Ze zien Rosa niet binnenkomen. Even aarzelt ze. Hoort ze er wel bij? Maar als ze voelt dat Gea naar haar omkijkt, gaat ze gauw naar Sem en Donna toe.

'Bertil is helemaal gek op jou, wist je dat?' giechelt Donna. Rosa trekt haar wenkbrauwen op. Sem kijkt Donna bestraffend aan.

'Jij kunt ook niks geheimhouden,' zegt hij hoofdschuddend. 'Ik vertelde haar dat Bertil het over jou had. Hij zegt dat jij alles van pony's weet.'

'Dat is niet zo,' zegt Rosa.

'Voor Bertil kun jij niks verkeerd doen,' zegt Sem. 'Het is een leuk joch. Ik wou dat ik zo'n broertje had.'

'Jij bent ook enig kind hè?' zegt Rosa. 'Wij alle drie.'

'Nee,' zegt Sem, 'ik heb twee oudere broers. Maar die zijn allang het huis uit. Ik ben een nakomer. Mijn ene broer studeert en de andere is na zijn school naar Australië gegaan voor een jaar.'

'Ik krijg misschien nog een broertje of een zusje,' zegt Donna. 'Van de vriendin van mijn vader.'

'Zou je dat leuk vinden?' vraagt Rosa.

Donna maakt een vaag gebaar. 'Die twee jongetjes van haar zijn leuk. Maar ze zijn nog klein.'

Rosa krijgt nooit een broertje of een zusje. Ze is alleen en haar ouders hebben nooit tijd voor haar. Ze is altijd net een beetje meer alleen dan de kinderen om haar heen.

Ruzie met Donna

'Hoe was jullie les?' vraagt Annet.

Ze zitten aan de werktafel in het eetcafé zoals altijd groente schoon te maken, Rosa met plezier en Donna omdat het nu eenmaal moet.

Donna legt meteen haar schilmesje neer.

'Rosa was goed joh!' vertelt ze enthousiast. 'Ze had Dorrit.'

'Moet Rosa dat niet zelf vertellen?' vraagt Annet.

'Nee hoor,' zegt Rosa vlug. 'Het ging gewoon goed. Dorrit kan lastig zijn.'

'Wat doet ze dan?'

'Bokken,' zegt Donna. 'Sem had haar toen hij viel.'

'Sem is jullie vriend, hè?'

'Donna's vriend,' zegt Rosa en krijgt meteen een knalrood hoofd.

'O ja?' lacht Annet.

Donna schudt haar hoofd.

'Hij is net zo goed Rosa's vriend als die van mij,' zegt ze verontwaardigd. 'Roos, jij doet altijd zo gek over hem! Net of je denkt dat ik hem van je afpak.'

De vrolijke stemming is ineens weg. Rosa krijgt tranen in haar ogen.

Annet kijkt ernstig maar ze zegt niets.

'We vinden Sem allebei aardig,' zegt Donna verdedigend. 'Maar mijn school is vlak bij zijn huis, dus ik zie hem vaker. En dat vindt Rosa soms niet zo leuk, geloof ik.'

Rosa kijkt strak naar de tafel.

Annet slaat een arm om haar schouders en pakt tegelijkertijd Donna's hand.

'Is dat zo, Roos?' vraagt ze zachtjes.

Rosa kan niks zeggen. Haar keel zit dicht.

'Nou, ik heb niks met Sem,' zegt Donna onverschillig. 'Hij is gewoon een vriend.'

Annet kijkt haar dochter hoofdschuddend aan.

'Je moet niet zo hard zijn,' zegt ze. 'Zie je niet dat je vriendinnetje huilt?'

Rosa voelt zich vreselijk. Het komt allemaal door háár dat het verkeerd gaat. Door haar jaloezie.

Met een ruk staat ze op.

'Ik ga naar huis,' zegt ze. Ze pakt haar jas en loopt meteen weg.

'Wacht!' hoort ze Donna roepen, maar Rosa schaamt zich te erg. Ze rent gauw naar buiten en rijdt zo hard naar huis, dat ze helemaal bezweet aankomt.

Er is niemand thuis. Dat kan ook bijna niet anders, want haar ouders weten dat zij op woensdag bij Donna eet. Ze zijn vast iets leuks aan het doen, samen of met vrienden.

Maar dit was wel de laatste keer dat ze bij Donna en haar moeder in het eetcafé was, want Rosa gaat niet meer naar De Os. Ze heeft het voorgoed verknoeid. Ze is haar vriendinnetje kwijt. Ze doet het nooit goed met andere kinderen. Huilend laat ze zich op de bank vallen.

Daar blijft ze wel drie kwartier zitten, in het donker.

Dan gaat de telefoon. Hij ligt op de tafel. Aarzelend staat Rosa op. Ze hoopt dat het niet oma is. Die doet altijd zo medelijdend als ze alleen thuis is.

Ze zegt haar naam.

'Roos, met mij,' zegt Donna met een klein stemmetje. 'Ben je erg kwaad op me?'

'Kwaad?' Rosa's stem klinkt schor.

'Sorry, dat ik dat zei van Sem. Ik bedoelde het niet verkeerd...'

Rosa begrijpt er niets van. Hoe kan Donna nu denken dat ze kwaad is?

'Ik dacht dat jij kwaad op mij was,' zegt ze verlegen.

'Nee, gek, waarom?' Nu klinkt Donna heel gewoon.

'Omdat ik wegliep.'

'Liep je niet weg omdat je boos was?'

'Nee,' zegt Rosa nadenkend. 'Ik dacht dat je...'

Ze voelt weer tranen opwellen. Dapper slikt ze ze weg. 'Ik dacht dat je mij niet meer leuk vindt. Vond,' verbetert ze.

'Natuurlijk niet. Natuurlijk wel!' Donna schiet in een zenuwachtige lach.

'Moet je mij horen,' zegt ze. 'Ik bedoel dat ik je hartstikke leuk vind. En ik wilde geen ruzie met je maken. Ik ben alleen bang dat jij het niet leuk vindt als ik bij Sem langsga.'

Ze zwijgen even. Rosa haalt diep adem.

'Weet je, ik ben een rotmeid,' begint ze. 'Ik ben altijd jaloers. Niet op jou hoor,' haast ze zich erbij te zeggen. 'Niet omdat ik iets met Sem wil. Ik vind het soms moeilijk dat jij en Sem zo gewoon met elkaar zijn. Alsof jullie al heel erg lang bevriend zijn.'

'Ik ken hem net zo lang als jij. Van de manege.'

'Ik kan het niet precies uitleggen,' zegt Rosa ongelukkig. 'Jullie zijn vrienden. Ik heb nooit iemand gehad, en voor jou is het zo gewoon. Voor Sem ook. Voor iedereen. Alleen voor mij niet.'

'En voor Bertil,' zegt Donna.

'Bertil?'

'Die is net zo verlegen als jij. Die vindt het ook niet gewoon om met andere kinderen om te gaan.'

'Dat is waar.'

'Hij kon best een broertje van je zijn.'

Rosa lacht een beetje bibberig.

'Wat zou jij tegen hem zeggen als hij jouw broertje was?' vraagt Donna.

‘Wat bedoel je?’

‘Wat zou je zeggen als hij steeds dacht dat niemand hem leuk vond?’

‘Dat hij niet zo achterlijk moet doen!’ antwoordt Rosa prompt.

‘Nou dan!’

Ze moeten allebei lachen.

‘Weet je Roos, een vriendin is anders dan een vriend. Ik vind Sem wel leuk. Maar ik kan niet echt met hem praten. Hij praat over computerspelletjes. En nu heeft ie het almaar over onderzeeërs.’

‘Die tekeningen?’

‘Ja dat komt door jou. Doordat jij hem aan het tekenen hebt gezet. Dat heb ik weer, honderd onderzeeërs waar ik van moet zeggen dat ik ze mooi vind.’

Nu liggen ze pas echt in een deuk.

De sleutel van de voordeur wordt omgedraaid en Rosa’s moeder komt de kamer binnen.

‘Wat zullen we nou krijgen?’ zegt ze verbijsterd. Ze knipt de lamp aan.

‘Donna, mijn moeder komt net thuis,’ zegt Rosa snel.

‘Spreken we zaterdag af ?’ vraagt Donna.

‘Hartstikke leuk!’

‘Hé, en je bent echt niet boos hè?’

‘Nee suffie, natuurlijk niet. En jij?’

‘Nooit geweest ook!’

Dan hangen ze op.

‘Rosa, waarom zit je in het donker?’ vraagt haar moeder ongerust. ‘Waarom had je geen licht aan?’

‘Ik had geen tijd. De telefoon ging.’

‘Met wie zat je te bellen?’

‘Met Donna.’

‘Maar daar kom je net vandaan!’

‘Ik was al eerder thuis. We hadden ruzie.’
‘Ruzie? Waarover?’
‘Nergens over. Waar is papa?’
‘Geen idee. Ik zal hem even bellen.’
‘Waar ben jij geweest?’
‘Bij een vriendin. We hebben over jullie zitten praten. Over kinderen,’ voegt ze eraantoe. ‘Zij heeft een zoon van dertien die blowt.’

‘Ik blow niet.’
‘Nee, maar ik schrok toch toen ik daarnet binnenkwam.’
‘Dacht je dat ik ineens aan de drugs was?’
Haar moeder komt naast haar zitten en trekt haar tegen zich aan.
‘Nee natuurlijk niet, lieve schat. Jij bent niet aan de drugs, jij bent al ponyverslaafd. Vertel eens hoe het op de manege was.’
‘Ik had Dorrit. Die is best eng, ze bokt vaak. Maar ze was hartstikke braaf. Ze heeft geen stap verkeerd gezet. En ik kreeg een compliment van Axel. Hij zei dat ik er netjes opzat.’
Rosa’s moeder heeft de telefoon gepakt en toetst een nummer in.
‘Hai, met mij,’ zegt ze. ‘Waar ben je?’
Rosa houdt haar mond.
‘O leuk. Rosa en ik zitten op je te wachten.’
Ze kijkt Rosa aan en geeft een knipoog.
‘Goed, dan zien we je zo.’
Ze drukt op de rode toets.
‘Papa komt eraan. Fijn dat je zo goed hebt gereden. Wil je nog thee? Ik zet nog een pot. Wat heb jij vanavond gegeten?’
‘Niks.’
‘Je was toch in dat eetcafé?’
‘Ik zei toch dat we ruzie kregen. Toen ben ik weggegaan.’
‘Zonder eten?’

'Ik had geen trek.'

'Heb je nu trek?'

'Nee. Ik hoef ook geen thee. Ik ga naar bed. Vraag je aan papa of hij mij welterusten komt zeggen?'

'Wacht je niet?'

'Nee, want dan gaan jullie samen praten en daar vind ik niks aan.'

'Je bent een rare snijboon,' lacht haar moeder en haalt haar hand door Rosa's haar.

'Ga maar gauw je tanden poetsen en in bed liggen. Dan komen papa en ik je straks samen welterusten zeggen.'

Slaat ze echt?

Rosa is zaterdagochtend al vroeg op de manege. Donna is eerst naar Sem gegaan. Als Bertil mee mag, kan hij met haar samen fietsen. En misschien komt Sem ook nog wel mee, zoals hij zelf zei. Sinds Rosa met Donna over hem heeft gepraat, vindt ze het niet meer zo vervelend als Donna bij hem langsgaat.

Ze hebben afgesproken dat Rosa Annet helpt met opzadelen en poetsen. Dan hoeft Donna zich niet te haasten.

Annet zit aan een tafeltje met haar twee vriendinnen, de tantes. Ze drinken koffie.

Als Rosa binnenkomt, zegt een van de tantes: 'Daar is je *groom*, An!'

'Wanneer leer je nu eens zelf zadelen,' zegt de andere tante.

'Ik kan het best,' verdedigt Annet zich. 'Maar ik vind het wel fijn als een van de meiden erbij is. Als dat beest ineens iets doet...'

'Zoals wat bijvoorbeeld?'

'Nou weet ik veel, trappen of bijten.'

De tantes lachen Annet uit. Rosa staat erbij en weet niet wat ze moet doen. Ze durft het niet voor Donna's moeder op te nemen, maar ze vindt het wel flauw van de tantes. Zo lang rijdt Annet nog niet.

Maar het kan Annet niks schelen wat andere mensen van haar zeggen. Ze trekt een gek gezicht.

'Zullen wij naar de stal gaan?' zegt ze tegen Rosa.

'Wie heb je?' vraagt Rosa.

'Een paard dat ik niet ken, Ecuador.'

Rosa kent hem ook niet.

'Weet je waar hij staat?'

'Hij staat in een box,' zegt een van de tantes. 'Je weet waar de paardenstand is? Daar tegenover. Jij was toch dat meisje dat vroeger die haflinger verzorgde? Hij staat twee of drie boxen verderop. En niet schrikken van dat gehap van hem.'

'Wat bedoel je?' vraagt Annet.

'Hij houdt niet van poetsen. Als je met hem bezig bent, hapt hij zichzelf telkens in zijn boeg.'

'Waar zit de boeg?' vraagt Annet.

De tante wijst naar haar borst.

'Je ziet het vanzelf. Trek je er niets van aan, hij doet zichzelf geen pijn. Het is een stalondeugd.'

Ze lopen het trapje naar de stallen af.

'Weet jij wat een stalondeugd is?' vraagt Annet met een lachje. 'Ik dacht: laat ik maar net doen of ik dat een heel gewoon woord vind. Anders beginnen ze me weer op te voeden.'

'Het zijn dingen die paarden doen als ze op stal staan,' legt Rosa uit. 'Heen en weer wiegen bijvoorbeeld. Dat heet weven. En luchtzuigen: dan pakken ze iets beet en slikken lucht in. Maar verder weet ik het ook niet.'

'Nou ja, we zien wel.'

Ecuador staat drie boxen voorbij Zefir. Karin is er ook. In het voorbijgaan hoort Rosa haar mompelen maar ze kan niet horen wat ze zegt.

'Roos, dat beest is gigantisch!' roept Annet uit als ze de boxdeur opendoet.

Rosa komt naast haar staan. Ecuador is inderdaad groot, maar hij kijkt vriendelijk en buigt zijn hoofd naar hen toe. Annet doet een stap achteruit.

'Durf jij?' vraagt ze. Rosa knikt. Ze haalt adem en stapt rustig naar binnen.

'Lust jij een worteltje?' vraagt ze. Ecuador heeft allang geroken dat ze iets lekkers bij zich heeft. Hij snuffelt aan de zak van haar bodywarmer.

Rosa haalt een schijfje wortel tevoorschijn en streelt Ecuadors donkerbruine huid. Ze zet de tas met poetsspullen die ze op haar schouder draagt neer en pakt er een hoevenkrabber uit.

'Kom maar,' zegt ze tegen Annet.

'Voor geen goud,' griezelt Annet. 'Hij is echt wel groot!'

Zo praat Donna ook. Rosa draait zich naar Annet om en glimlacht. 'Hij is hartstikke braaf. Kom!'

Annet gehoorzaamt. Ze blijft wel een eindje bij hem vandaan. Rosa wijst naar Ecuadors hoef.

'Voet!' commandeert ze. Het grote paard tilt zijn hoef op en Rosa krabt de straal schoon.

Pas als ze gaat rosborstelen met de grove rubberen borstel merkt ze wat de tantes bedoelden. Ecuador vindt het niet leuk wat ze doet en hapt voortdurend in zijn eigen huid, bij het borstbeen. Annet is bij het eerste teken van narrigheid naar buiten gestapt.

'Sorry, Roos, ik ben niet erg dapper, vrees ik.'

'Geeft niet,' zegt Rosa.

'Ik kan me niet veroorloven dat hij in mijn arm bijt,' legt Annet uit. 'Als ik niet kan werken, hebben Donna en ik niet te eten.'

'Mmm,' zegt Rosa. Volwassenen doen altijd net of ze een goede reden hebben om iets niet te durven.

'Zal ik het zadel halen?' biedt Annet aan.

'Goed.'

Rosa probeert van alles om Ecuador op zijn gemak te stellen. Ze poetst langzaam, zachtjes, dan weer wat steviger. Misschien vindt hij kriebelen vervelend. Maar het maakt allemaal niets uit. Hij blijft zichzelf bijten.

Tamara loopt langs en werpt een blik naar binnen.

'O, goed dat je die mevrouw even helpt,' zegt ze.
'Waarom doet hij dat?' vraagt Rosa terwijl ze op Ecuador wijst. Die buigt net zijn hals om met een klap zijn kaken te sluiten met een stukje van zijn eigen vel ertussen.
Tamara haalt haar schouders op. 'Stalondeugd,' zegt ze. Verder legt ze het niet uit.
'Hoe komt dat?' dringt Rosa aan.
'Tja, dat weet je niet. Ze beginnen er op een dag mee en dan voelt het lekker, dus gaan ze ermee door.'
'Maar dat doet toch pijn?'
'Valt wel mee hoor. Je zou eens moeten zien hoe lomp paarden met elkaar zijn. Dan is zo'n hapje niks.'
'Kunnen we het hem niet afleren?'
'Afleren is moeilijker dan aanleren,' zegt Tamara. 'Hij moet het zelf maar weten. Beter dit dan dat hij jou bijt.'
Ze loopt verder.
Annet komt terug met het zadel en het hoofdstel.
Rosa kan er maar nét bij, zo groot is Ecuador. Aan Annet heeft ze niks. Die is de box uit gevlucht toen het paard nog veel erger ging happen, terwijl Rosa het zadel op zijn rug legde.
'Ik bewonder je,' zegt Annet. Ze blaast een lok haar van haar voorhoofd. 'Ik weet niet of ik op dit paard durf te rijden.'
'Volgens mij is hij wel braaf,' zegt Rosa. 'Hij heeft lieve ogen. Hij doet alleen raar als je hem poetst.'
Hij doet nog veel gekker als ze de singel aanhaalt. Hij hapt als een bezetene in zijn boeg. Maar hij tilt geen hoeven op om te trappen en hij bijt niet één keer in haar richting. Rosa is niet bang.
Ze wacht even tot hij ophoudt voor ze het hoofdstel in doet.
Annet kijkt toe. Rosa probeert haar eigen ademhaling heel langzaam te maken, alsof ze bijna in slaap valt. Ze

hoopt dat Ecuador daar rustig van wordt. Het lijkt inderdaad te helpen. Hij briest zacht.

Dan klinken er voetstappen in de gang en een ogenblik later staat Donna in de opening van de staldeur met naast haar Bertil en een seconde later Karin.

'Kun je even komen?' zegt Karin.

'Wie is dit?' vraagt Donna op hetzelfde moment, met een blik op Ecuador. Bertil loopt de box in. Hij blijft bij Ecuadors hoofd staan.

'Ecuador,' antwoordt Rosa. 'Ik kom zo,' zegt ze tegen Karin.

Het paard snuffelt aan Bertil. Rosa pakt het hoofdstel van Annet aan en geeft het aan Bertil.

'Als jij de teugel om zijn hoofd legt, doe ik hem het bit in.'

Net als afgelopen woensdag doen Rosa en Bertil samen het hoofdstel in. Ecuador houdt braaf zijn hoofd laag terwijl Bertil de teugel om zijn hals legt. Rosa moet wel haar vingers in zijn mondhoeken steken, op de plaats waar geen kiezen zijn. Anders doet hij zijn mond niet open.

'Kijk Bert,' zegt ze. 'Dat kleine stukje tandvlees heet de lagen. Rare naam hè? Op die plek zitten geen kiezen. Daar ligt het bit.'

'Doet dat geen pijn?' vraagt Bertil.

'Als je trekt wel. Daarom mag je ook niet trekken. En al helemaal niet zagen.'

Wat is zagen?'

'Het bit heen en weer trekken met je teugels. Dat is echt gemeen!'

Als Ecuador klaarstaat mag Annet hem meenemen. Ze is zenuwachtig. 'Volgende keer wil ik King weer,' moppert ze. 'Of Marcel.'

'Je kunt deze vast ook wel,' troost Rosa.

'Mam hou op,' zegt Donna ongeduldig. 'Je kent dit paard helemaal niet. Misschien is ie wel hartstikke braaf.'

'Wie verdient het geld als ik eraf val?'

'Mama, je bent een zeurpiet.'

'Je valt er niet af,' belooft Rosa.

'Kom je nou nog?' klinkt de klaaglijke stem van Karin.

Rosa draait zich naar haar om. 'Wat is er?'

'Zefir wil niet meekomen.'

'Rij jij hem?'

'Ja.'

'Is Gea er niet? Of Laura?'

'Gea was hier vanochtend. Maar ze is al weg.'

Als Rosa meeloopt ziet ze dat Zefir met zijn staart naar de boxdeur toe staat. Als ze binnen wil komen, tilt hij zijn achterbeen op om te schoppen. Dat heeft hij nog nooit gedaan.

'Zefir?'

Ze wacht met bonzend hart. Bertil is naast haar komen staan en Karin staat schuin achter hen.

'Zal ik even een zweep halen?' stelt ze voor.

'Ben je nou helemaal?'

'Hij zal toch moeten leren wie de baas is.'

Rosa keert zich naar het blonde meisje toe.

'Als je het zelf allemaal zo goed weet, waarom vraag je mij dan te helpen?'

'Nou, ik zeg het maar. Ik ken hem nog niet zo goed en volgens mij heeft hij een probleem met zijn ruiters. Hij denkt dat hij zelf de baas is.'

'Hij denkt helemaal niks,' valt Rosa boos uit. 'Hij heeft geen vertrouwen en ik weet niet hoe dat komt. Zo erg als nu heb ik hem nooit meegemaakt. Hoe heb je hem opgezadeld?'

'Gea had hem voor me vastgezet aan een halster. Maar toen deed hij al raar en opgefokt. Toen ik het halster er daarnet afhaalde en hem mee wilde nemen, draaide hij zich om.'

Rosa voelt of ze nog wortelschijfjes in haar bodywarmer heeft. Ze heeft vanochtend extra veel klaargemaakt. In haar poetsdoos zit nog een zak vol. Ze vindt nog één schijfje in haar linkerzak.

'Zefir!'

De pony kijkt om. Rosa strekt haar hand uit.

'Niet bewegen,' zegt ze tegen Karin en Bertil. Het duurt een paar seconden, dan komt Zefir rustig naar hen toe en neemt de wortel aan. Rosa laat haar blik langs zijn lichaam gaan. Ze ziet geen striem. Dan leidt ze hem de box uit. De pony loopt zonder protest mee.

'Hier,' zegt Rosa en geeft de teugel aan Karin. 'Moet ik je nog helpen met opstijgen of doe je dat zelf?'

'Help maar.'

Rosa fronst haar wenkbrauwen. Eigenlijk heeft ze veel zin om het Karin lekker zelf uit te laten zoeken. Maar ze maakt zich ook ongerust over Zefir.

Achter Karin aan loopt ze naar de binnenrijbaan. Annet zit al in het zadel en stuurt Ecuador juist de hoefslag op. Donna komt naar Rosa toe.

'Wat loopt die Zefir te zweten,' zegt ze. 'Is hij wel in orde?'

'Ik weet het niet,' zegt Rosa. 'Hij is niet zoals het hoort.'

Rosa loopt om de pony heen en houdt de rechterbeugel strak naar beneden, terwijl Karin aan de linkerkant opstijgt. Dan voelt ze of de singel aangetrokken moet worden.

'Hij kan nog wel een gaatje, hè?' zegt Karin.

'Mmm.'

Rosa doet wat er gedaan moet worden en loopt dan zonder te groeten weg. Donna gaat meteen mee.

'Waar heb je Bertil gelaten?' vraagt Donna.

'Misschien is hij bij Simba.'

'Of bij Colorado.'

Rosa en Donna vinden Bertil in de kantine, waar hij achter de ruit naar de les zit te kijken. Ze gaan bij hem zitten.

'Ik vind die Karin een enorme trut,' zegt Donna.

'Dat is ze ook,' zegt Rosa. 'Ze kan niks maar ze heeft wel overal commentaar op.'

'Wat zei ze nu weer?' vraagt Donna.

Rosa vertelt hoe Karin voorstelde Zefir met de zweep aan te pakken.

'Dat andere meisje slaat,' zegt Bertil plotseling.

'Wie bedoel je?' vraagt Donna.

Rosa keert Bertils gezicht met een zacht gebaar naar zich toe.

'Bedoel je Gea?'

Bertil trekt zijn hoofd achteruit. Dan knikt hij.

'Heb je haar gezien?'

'Vandaag niet.'

'Wanneer dan?'

Bertil kijkt weg.

Rosa schudt bezorgd haar hoofd. Ze is verschrikkelijk ongerust, maar ze kunnen niets voor Zefir doen. Zelfs Axel of Tamara waarschuwen kan niet. Je kunt niet zomaar iemand van zo iets ergs beschuldigen als je het niet héél zeker weet. Zefir is niet van haar.

Donna staart voor zich uit.

'Kijk eens naar je moeder,' zegt Rosa.

Annet zit met een gespannen gezicht op Ecuador.

'Hij gooit wel hoog op,' zegt Donna. 'Bij iedere stap vliegt ze bijna uit het zadel.'

'Hij is wel braaf,' zegt Rosa.

'Het is geen gezicht.' Donna kijkt afkeurend.

'Wacht maar, straks gaan ze galopperen. Paarden die zo hoog opgooien in draf zitten vaak extra lekker in de galop.'

Het is of Axel haar hoort. Hij zegt iets en het volgende ogenblik galoppeert iedereen aan. Annet zit nu veel rustiger. Ze is niet heel bang, zo te zien. Ze wendt zelfs een keer uit zichzelf af. Dat heeft ze nog niet eerder gedurfd. Tot nu toe bleef ze vlak achter een ander rijden, ook als ze er te dicht achterop kwam. Maar nu stuurt ze Ecuador van de hoefslag af en rijdt uit zichzelf naar de overkant. Dat moet ook wel, want hij is zo groot dat hij sneller gaat dan de andere paarden. Even later botst ze weer bijna tegen een voorganger op en moet ze opnieuw afwenden.

Ze blijven naar de les kijken tot hij afgelopen is. Dan gaan ze naar de stallen om Annet te helpen Ecuador op stal te zetten.

Daar loopt Karin ook.

'Hij is nu wel weer in orde hoor,' zegt ze tegen Rosa. 'Ik heb hem flink dóór gereden en nu doet hij weer gewoon.'

Rosa zegt niets terug. Karin kletst maar wat. Ze had niets in te brengen bij Zefir. Hij sukkelde braaf met de anderen mee en trok zich weinig van zijn berijdster aan.

'Je ging best goed, hè mam,' zegt Donna tevreden. 'Alleen in draf zat je te stuiteren.'

'Hij nam zulke grote stappen,' zegt Annet. 'Ik werd alle kanten op gegooid. Ik ben kapot.'

'Je deed het goed,' zegt Rosa. 'In de galop zat je er hartstikke netjes op.'

'Je bent er in ieder geval niet vanaf gevallen,' zegt Donna. 'Je kunt nog biefstuk bakken.'

'Je wendde af toen je te dicht achter een ander kwam,' vult Rosa aan. 'Dat was heel goed.'

Annet lacht. 'Ja , niet gek hè, van mij. Axel gaf me ook een compliment.'

Tamara loopt door de stal. 'Laat je moeder die grote maar zelf in de box zetten,' zegt ze. 'Dat kan ze best.'

Annet trekt een lelijk gezicht achter Tamara's rug. Rosa moet erom lachen.

Ze blijven wel kijken of alles goed gaat. Annet is tenslotte nog maar een beginner.

Een middag met vrienden

'We kunnen vanmiddag wel even naar oma gaan,' zegt Rosa's vader. 'Want voorlopig komt het er niet van.'

'Ik kan niet,' zegt Rosa. 'Ik heb met Donna afgesproken. We gaan naar haar vader.'

Ze zit op de rand van het bed van haar ouders. Het is zondagochtend. Zij is allang aangekleed, maar haar vader en moeder liggen nog in bed de krant te lezen. Rosa heeft thee voor ze gezet.

'Jammer.' Haar moeder trekt een rimpel tussen haar wenkbrauwen.

'Het heeft niet zoveel zin als Rosa er niet bij is,' zegt ze. 'Dan kun je beter alleen gaan.'

'Hoezo?'

'Nou, het is jouw moeder.'

'Wat heeft dat ermee te maken?'

Rosa staat op. Als het over oma gaat, krijgen haar ouders vaak ruzie.

'Als wij samen gaan, vraagt ze waar Rosa is en dan denkt ze weer dat wij ons kind verwaarlozen.'

'Onzin,' bromt Rosa's vader. Hij pakt de krant op en wil verder lezen.

'Ik ga zo weg,' zegt Rosa.

'Zo vroeg al?' vraagt haar moeder. 'Zullen we niet even samen ontbijten?'

Rosa kijkt op de wekkerradio. Het is kwart over negen. Ze heeft pas om elf uur afgesproken.

'Voor deze keer dan,' zegt ze. 'Zal ik eieren bakken?'

Van Annet heeft ze geleerd een mooie omelet te maken.

'Héérlijk!' zegt haar moeder.

'Dan moeten jullie de tafel dekken,' zegt Rosa. 'En niet in de keuken. We gaan aan tafel zitten. En ik wil een mooi tafellaken.'

'Dat heb ik niet,' zegt haar moeder beduusd.

'Jawel,' zegt Rosa. 'Je hebt een kerstkleed in de linnenkast. Van oma gekregen.'

'Een kerstkleed? Het is bijna maart!'

'Er komt toch niemand kijken of we ons aan de feestdagen houden?' zegt haar vader vanachter de krant. 'Wij ontbijten lekker met het kerstkleed.'

Ze moeten alle drie lachen.

Rosa gaat naar de keuken. Ze pakt een bakpan en zet hem vast op een zacht vuurtje met een beetje olie erin. Dan klopt ze eieren en doet er een scheutje melk bij en wat zout. Annet leert haar telkens iets nieuws. Vroeger kon ze alleen pizza opwarmen.

Net als ze het mengsel voorzichtig in de hete pan laat glijden, komt haar moeder de keuken binnen. Ze heeft een kamerjas aan.

'Zal ik broodjes warm maken in de oven?' stelt ze voor.

'Ja!'

Na een kwartiertje kunnen ze ontbijten.

Rosa draagt trots haar omelet naar binnen.

'Wat mooi!' prijst haar vader. 'Mogen we zo'n kunstwerk wel opeten?'

Rosa vindt het een flauwe opmerking, maar ze lacht blij naar hem. Haar dag is nu al goed.

Direct na het ontbijt moet Rosa weg. Weifelend kijkt ze naar de vuile borden.

'Ga maar hoor, schat!' zegt haar moeder. 'Papa ruimt de vaatwasser wel in.'

'O, lekker is dat!' protesteert haar vader.

'We doen het samen,' zegt haar moeder. 'Maar Rosa heeft

gekookt en wie kookt hoeft de afwas niet te doen. Veel plezier, lieverd! Ik denk dat wij vanmiddag naar de film gaan. Maar jij komt pas om een uur of acht thuis, hè?'

Ze haalt haar hand door Rosa's haren en geeft haar een zoen.

Donna woont in een nieuw huis, zo'n eengezinswoning met een piepklein voortuintje. Rosa fietst er door de vrieskou naartoe. Het is vlak bij de straat van Sem en Bertil.

Rosa zwaait als ze het tuinpad op loopt, maar Donna ziet haar niet. Ze zit op een bank televisie te kijken.

Annet doet open. Ze ziet er anders uit dan in de manege of in het eetcafé. Daar draagt ze altijd een schort. Nu heeft ze een gebloemde rok aan en een wollen vest. Ze kijkt niet vrolijk.

'Hai Roos, kom binnen,' zegt ze met een glimlach. Maar tussen haar wenkbrauwen staat een rimpel.

'Hoi,' zegt Rosa onhandig. Hebben Donna en Annet ruzie?

Donna springt op als Rosa de kamer binnenstapt.

'Het gaat niet door,' zegt ze. 'Mijn vader belde net dat Pepijn het vanochtend benauwd had. Hij heeft astma. Zijn moeder is bang dat dat erger wordt. Ik ruik naar paarden, zegt ze. Of we een andere keer kunnen komen.'

'Sorry, Roos,' zegt Annet. 'En aan mij hebben jullie ook niks. Ik moet vandaag werken. Ik had juist mijn dienst geruild omdat Donna weg zou zijn.' Ze maakt een hulpeloos gebaar.

'Mijn moeder is boos, omdat mijn vader nooit ergens rekening mee houdt,' legt Donna uit. 'Maar ik denk dat het niet aan hem ligt, mam. Het ligt aan háár.'

'Hoe heet ze eigenlijk?' vraagt Rosa. 'Wat zeg jij tegen haar, bedoel ik. Tante?'

Annet en Rosa schieten in de lach.

‘Ze heet Chantal,’ zegt Annet.
‘Ik zeg niks tegen haar,’ zegt Donna.
Annet schudt haar hoofd. ‘We mogen niet lelijk over haar praten, Donna. Je vader is met haar getrouwd. En we maken er met z’n allen het beste van. Maar het was wel fijn geweest als hij vandaag iets leuks met jullie tweeën was gaan doen. Je bent zijn dochter, niet zomaar iemand die op visite komt en die je af kunt zeggen.’

‘Pepijn is niet eens zijn eigen kind,’ pruilt Donna.
‘Hou op,’ zegt Annet kordaat. ‘Pepijn is nu óók zijn kind. Klaar!’
Rosa kijkt naar Annet. Het lijkt wel alsof ze het meer tegen zichzelf zegt dan tegen Donna.
‘Jullie moeten maar kijken wat je doet. Je mag naar De Os komen, maar ik weet niet of dat nou zo leuk is. Bel maar even als je weet wat je plannen zijn.’
Annet gaat de kamer uit en even later slaat de voordeur dicht.
Rosa kijkt de kamer rond. Het is anders dan bij haar thuis. Een grote boekenkast bedekt een hele wand. Er staan twee leren bankjes en een salontafel. Tussen de kamer en de keuken is alleen een bar.
‘Wat zullen we gaan doen?’ vraagt Donna.
Rosa haalt haar schouders op.
‘Zeg jij het maar.’
‘Zullen we even naar Sem gaan?’
Rosa knikt. Misschien is het daar wel gezellig.
Donna sms’t eerst met Sem. Dan trekken ze hun jas aan en rijden naar zijn huis. Hij is alleen thuis.
‘Het lijkt wel of alle ouders andere dingen te doen hebben,’ moppert Donna. ‘Jouw ouders zijn er niet, mijn moeder werkt, mijn vader heeft het druk met de kinderen van een ander, die van Rosa zijn al helemaal nooit thuis.’
‘Ik vind het niet erg. Jullie zijn er nu. Willen jullie cola?’

Net als hij opstaat om glazen en een fles uit de keuken te halen, wordt er aangebeld. Even later komt Sem de kamer binnen met Bertil. Hij draagt de colafles, Sem de glazen.

'Zijn ouders gingen ook weg,' grinnikt hij. 'Zou er een geheime bijeenkomst van ouders zijn?' Hij zet de glazen op de eettafel en schenkt ze vol.

'Heb je nog getekend?' vraagt Rosa.

Sem knikt enthousiast. 'Wil je het zien?'

Er zijn opnieuw veel onderzeeërs en vliegtuigen, maar hij heeft ook nieuwe tekeningen van paarden gemaakt

'Dat is Dorrit!' roept Rosa verrast uit. Ze herkent niet alleen de kleuren. Het is ook echt Dorrit, zoals ze er vaak bij staat, met haar oren naar voren.

'Je tekent echt goed. Wil je tekenleraar worden?'

'Hou op zeg!' griezelt Sem. 'Ik wil niet de rest van mijn leven op school zitten.'

'Het is toch heel anders als je voor de klas staat,' zegt Donna. 'En ik heb het wel leuk op school. Jij niet?'

'Jawel. Het is niet erg,' zegt Sem. 'Ik heb veel vrienden.'

Rosa kijkt naar Bertil.

'Heb jij vriendjes?' vraagt ze.

Het duurt even voor Bertil antwoord geeft.

'Eén,' zegt hij nauwelijks hoorbaar.

'Hoe heet hij?'

Bertil krijgt een rood hoofd. Hij slikt.

'Anouk,' zegt hij zacht.

'Bert, je hebt verkering!' lacht Sem.

Rosa ziet hoe moeilijk Bertil het vindt als zijn held Sem hem plaagt.

'Hoe oud is Anouk?' vraagt ze.

'Zeven,' zegt Bertil. Hij kijkt even naar Rosa. Maar zij lacht niet.

'Leuk,' zegt ze.

Er klinken stemmen in de hal. Sems ouders zijn terug.

‘Zullen we naar buiten gaan?’ stelt hij snel voor.
‘We kunnen wel even langs de manege fietsen,’ zegt Donna. ‘Kijken of daar wat te doen is.’
‘Mag jij dan mee?’ vraagt Rosa aan Bertil.
‘Hij mag mee als ik erbij ben,’ zegt Sem.
Sems ouders komen binnen.

‘Zo, wat een hoop visite, joh!’ zegt zijn vader. ‘Goedemiddag dames! Buurman.’
Donna staat op en geeft Sems ouders een hand. Blozend doet Rosa hetzelfde. Bertil durft geen hand te geven. Hij glimlacht vaag.
‘Ik zie dat jullie al iets te drinken hebben gehad.’ Sems moeder knikt goedkeurend.
‘We gaan even fietsen,’ zegt Sem.
Zijn moeder fronst haar wenkbrauwen.
‘Wordt dat niet een beetje veel voor jou?’
‘Nee,’ zegt Sem beslist.
‘Laat die jongen toch,’ zegt zijn vader. ‘Je maakt een watje van hem. Ga maar, jong. Als je last krijgt, kom je terug.’

Het is koud maar er staat bijna geen wind en de zon schijnt. Rosa herinnert zich ineens hoe het vorig jaar was. Toen fietste ze altijd in haar eentje, niet met zijn vieren.
Bertil rijdt naast haar.
‘Weet je wat ik nu wel eens zou willen weten?’ zegt ze tegen hem.
Bertil kijkt op.
‘Ik zou willen weten wat er precies met Zefir aan de hand is.’
Bertil knikt.
‘Zo raar als hij nu doet, deed hij vroeger niet,’ vervolgt Rosa. ‘Jij weet dat ook. En jij denkt dat het aan Gea ligt, hè? Dat zij hem misschien geslagen heeft.’
Rosa rekent niet op antwoord. Ze weet dat Bertil haar precies volgt.

'Als je een paard een keer onrechtvaardig behandelt, is dat natuurlijk niet goed, maar hij houdt er niks aan over. Maar als je het telkens opnieuw doet...'

Bertil knikt weer.

'Hoe komen we er nou achter wat er precies aan de hand is?'

Er komt een plan

Rosa heeft er niet op gerekend dat haar ouders er zijn als zij om halfvijf thuiskomt, maar ze zitten in de kamer thee te drinken.

'Wat ben je vroeg!' zegt haar moeder.

'Jullie ook.'

'We zijn toch nog maar even naar oma gegaan,' zegt haar vader. 'En toen hadden we geen zin meer in de bioscoop.' Hij gaapt.

'Hoe was het bij oma?'

Haar moeder trekt even een scheef gezicht.

'Leuk hoor,' zegt ze schijnheilig.

Rosa's vader kijkt haar streng aan.

'Nee, echt,' haast haar moeder zich. 'Ze was lief. Ze zeurde niet over jou. Ze vroeg wel naar je. Ik zei dat je het zo leuk hebt met je vriendinnetje. Dat je met haar mee was naar haar vader.'

'Het ging niet door met Donna's vader,' zegt Rosa.

'O, waarom niet?' Haar vader trekt zijn wenkbrauwen hoog op. 'Waar heb je dan gezeten?'

'We zijn naar Sem gegaan en toen met zijn vieren naar de manege.'

'Waarom waren jullie niet bij Donna's vader?'

Rosa vertelt wat Donna zei.

'Hoe komt hij erbij dat jij naar paarden ruikt? Je hebt toch schone kleren aan?'

'Mijn jas ruikt naar paarden.'

Haar moeder is opgestaan en ruikt even aan Rosa's jas.

'Je jas ruikt inderdaad naar paarden. Maar je was ook op de manege. Zal ik hem eens wassen?'

'Doe maar niet, hij wordt toch zo weer vies,' zegt Rosa, terwijl ze hem uittrekt en aan de kapstok hangt.

Als ze de kamer in komt, is haar moeder aan tafel gaan zitten met haar laptop. Haar vader leest een tijdschrift.

Rosa wil nadenken. Ze gaat aan de werktafel zitten, achter de computer en klikt een spelletjesprogramma aan. Terwijl ze gedachteloos met de muis de figuurtjes volgt, denkt ze na over Zefir.

Toen ze vandaag op de manege kwamen, was er bijna niemand. Een paar volwassenen die een eigen paard hebben en twee ponymeiden waren in de rijbaan. De weekendhulp was de stal aan het vegen. De kantine was dicht.

Ze zaten met zijn vieren op de koude tribune van de binnenmanege te kleumen. De paardenruiters waren geconcentreerd bezig met hun figuren. De meisjes waren hun pony aan het droogstappen op de binnenhoefslag, de baan die een meter meer naar binnen ligt. Zo stoorden ze de andere rijders niet.

'Wat een dooie boel is het hier op zondag,' zei Sem.

Maar Rosa was juist blij dat het rustig was. Ze had Gea's fiets niet zien staan. Ze wist niet wat voor fiets Laura had, maar ze had zo'n gevoel dat er niemand bij Zefir was.

'Bert, doe net of je bij Colorado gaat kijken,' fluisterde ze tegen Bertil.

Zonder iets te zeggen gleed Bertil van zijn plaats en sloop weg.

De computer maakt piepgeluiden. Het spelletje is afgelopen.

Bertil begrijpt altijd alles, denkt Rosa, terwijl ze kijkt hoeveel winstpunten ze heeft. Ze begint aan een nieuw spelletje.

Even later was het jongetje teruggekomen. Hij had alleen geknikt. Maar toen ze opstond om naar Zefirs box te lopen, hield hij haar mouw vast.

'Ik weet het niet,' begon hij.

'Loop maar mee,' had Rosa gezegd. Ze had Donna en Sem ook gewenkt. Met z'n vieren waren ze naar Zefir gegaan. De pony stond er tamelijk rustig bij. Alleen toen Rosa de boxdeur openmaakte, deinsde hij achteruit.

'Hè, wat raar,' zei Donna. 'Zo deed hij toch nooit? Zo erg schuw?'

'Precies,' had Rosa geantwoord, terwijl ze om zich heen keek of niemand hen zag. Ze wilde de box binnengaan, maar Zefir draaide zich snel om en keerde zijn achterbenen naar ze toe.

'Volgens mij wordt hij steeds minder lief,' zei Donna.

'Hij is bang,' wist Rosa.

'Gea,' zeiden Sem en Donna tegelijk.

'Ik denk het ook,' zei Rosa. 'En Bertil zegt dat hij haar heeft zien slaan.'

Alle drie keken ze Bertil aan, maar die zei niets en keek naar de grond.

'Je kunt er niks aan doen als je het niet zelf hebt gezien,' zei Sem praktisch. 'Dan is het...' Hij zocht naar een woord.

'Smaad,' zei Donna. 'Dat was laatst ook op de televisie. Iemand had smaad gepleegd of hoe je dat ook zegt en toen kwam de politie en moest hij heel veel geld betalen.'

'Is het ook smaad als je het tegen Tamara zegt?' vroeg Rosa. 'Of tegen Axel?'

'Ik weet het niet,' zei Donna. 'Dan is het misschien wel minder erg, maar dan zitten zij ermee. Met hetzelfde bedoel ik. Zij kunnen ook pas wat doen als ze het zelf zien.'

'Of ze geloven je niet,' zei Sem. 'Volwassenen geloven heel vaak niet wat kinderen zeggen.

Ik geloofde Bertil eerst ook niet echt, denkt Rosa, terwijl ze het spelletje afsluit. Ze blijft bij de computer zitten omdat ze nog niet klaar is met haar gedachten. Met haar ogen dicht leunt ze op haar ellebogen, haar handen in elkaar gevouwen.

Zou Laura gemerkt hebben dat het niet goed gaat met Zefir? Zou ze zich afvragen wat er met hem is? Rosa probeert zich voor te stellen wat zijzelf zou denken als ze Laura was.

Wat is Laura voor iemand? Dat moet ze dan eerst weten. Laura is vijftien, ze rijdt goed en ze is bazig. Ze denkt dus vast niet: wat is er met mijn lieve pony? Eerder: wat mankeert dat beest? Maar als Laura de box binnenkomt, durft Zefir zich vast niet om te draaien. Als je bazig bent en helemaal niet aarzelt, worden de meeste pony's volgzaam.

Laura rijdt twee keer per week en tot nu toe heeft Rosa steeds Karin aan het werk gezien in de box. Poetst ze Zefir eigenlijk wel eens zelf?

Als je eenmaal in het zadel zit, is Zefir braaf. Dat weet Rosa nog precies. Zo lang geleden is het niet dat hij háár verzorgpony was.

Gea. Ze moet over Gea nadenken. Als het waar is dat zij Zefir slaat, waarom doet ze dat dan? Waarschijnlijk is ze nog kwaad op hem omdat ze van zijn rug is gevallen. Ze durft er niet meer op. In plaats van zichzelf aan te pakken, gaat ze die arme Zefir te lijf.

'Roos?'

Rosa gaat met een ruk rechtop zitten. Haar moeder staat schuin achter haar en legt een hand op haar schouder.

'Is er iets?'

'Hè? Nee. Ik schrik me rot!'

'Je bent zo stil.'

'Ik was aan het denken.'

'Papa en ik hebben geen zin om te koken. Zullen we naar de pizzeria gaan?'

Rosa steekt haar tong uit. 'Ik eet al zo vaak pizza.'
'Wat wil je dan?'
'Naar De Os!'
Haar moeder kijkt haar niet-begrijpend aan.
'Het eetcafé waar Donna's moeder werkt.'
'O, dat is wel een leuk idee!'

'Hier is het!' zegt Rosa trots als met z'n drieën de straat van De Os in fietsen. Het eetcafé is vroeger waarschijnlijk een woonhuis geweest. In de gevel zit een steen met een soort koe erop.

De barkeepster Emma kijkt stomverbaasd als ze Rosa met haar ouders ziet binnenkomen.

'Zo, maar dat is hoog bezoek!' roept ze.

Rosa weet niet wat ze terug moet zeggen, maar haar vader lacht.

'Ik heb zo veel over u gehoord, dat we u toch eens met eigen ogen moesten komen bekijken,' zegt hij met een knipoog.

Hij denkt dat Emma Annet is! Rosa stoot hem met een vuurrood hoofd aan.

'Dit is Emma,' fluistert ze nadrukkelijk. 'Niet Annet.'

Haar vader begrijpt er nog steeds niks van.

'U heet Emma, vertelt mijn dochter me,' zegt hij zwierig. 'Mijn naam is Nico en dit is mijn vrouw Lydia.'

Rosa wou dat ze nooit had gezegd dat ze in De Os wilde eten.

Maar dan gaat de deur naar de keuken open en komt Donna het café in.

'Róóós!' schreeuwt ze blij. 'Wat leuk!'

'Zullen we gaan zitten?' zegt Rosa's moeder lachend.

Ze loopt meteen naar een tafeltje dat vrij is.

'En wie ben jij?' vraagt Rosa's vader aan Donna.

'Dat is Donna, natuurlijk,' zegt Rosa verontwaardigd.

Donna geeft Rosa's ouders een hand.

'Zal ik tegen mijn moeder zeggen dat jullie hier zijn?'

Ze wacht het antwoord niet af en huppelt meteen terug naar de keuken. Emma komt naar het tafeltje.

'Wat mag ik u te drinken aanbieden? Het is van het huis.'

Rosa's ouders lachen verguld.

'Een glas witte wijn en een biertje,' zegt Rosa's vader. 'En Roos, wat wil jij?'

'Appelsap,' zegt Emma. 'Rosa wil altijd appelsap.'

Donna komt terug uit de keuken met achter haar Annet, die haar handen aan haar schort afdroogt.

Ze lacht stralend naar Rosa's ouders.

'Ik ben Annet! Wat leuk dat jullie hier komen eten.'

'Mag Donna met ons mee-eten?' vraagt Rosa's moeder.

Rosa pakt haar moeders arm en knijpt erin.

'Wil je dat Donna?' vraagt Annet.

'Gráág,' zegt Donna. 'Dankuwel, mevrouw.'

'Ik heet Lydia,' zegt Rosa's moeder.

'En ik Nico,' zegt Rosa's vader.

Rosa kijkt om zich heen. Ze hoopt dat de andere mensen niet hebben meegeluisterd. Ze vindt het niet fijn als iedereen op haar let. Maar niemand kijkt naar hun tafeltje. De mensen zitten te eten en met elkaar te praten. En aan de bar hebben ze alleen oog voor Emma en voor hun glas.

'Wat willen jullie eten?' vraagt Annet. 'Vlees? Vis? Van de meiden weet ik het wel. Die krijgen de vegetarische schotel.'

Rosa kijkt haar moeder uitdagend aan. Thuis moet ze soms vlees of vis eten. Haar moeder zegt dat ze te jong is om vegetariër te worden. Maar Rosa weet wel beter. Haar moeder vindt het gewoon te lastig.

'We moeten een plan bedenken voor Zefir,' zegt Rosa tegen Donna zodra haar ouders met elkaar in gesprek zijn. 'Hoe pakken we het aan?'

Donna kijkt peinzend voor zich uit.

‘Weet je Roos,’ zegt ze na een poosje. ‘Ik heb wel een idee.’
Ze buigt zich voorover naar Rosa en fluistert haar toe wat ze heeft bedacht.

De voorbespreking

Ze hebben woensdag afgesproken, vóór de paardrijles. Sem en Bertil zijn er dan ook.

Rosa is direct na school naar de manege gefietst. Ze heeft haar tas met wortels en poetsspullen ’s ochtends al meegenomen. Terwijl ze haar fiets op slot zet, laat ze haar blik langs het rek gaan. Die van Gea staat er niet. Misschien heeft zij helemaal geen behoefte om bij haar pony te zijn.

Rosa vindt Gea geen echt ponymeisje. Gea houdt misschien niet eens van paarden. Ze is nooit lief voor Zefir. Dat vrijwel niemand aan haar pony mag komen, is niet omdat ze bang is dat er iets met hem gebeurt. Ze wil gewoon niet dat iemand anders op hem rijdt. Ze is altijd jaloers geweest op haar grote zus en op Rosa, toen zij nog op Zefir reed. Op Karin hoeft Gea niet jaloers te zijn, want Karin kan niks.

‘Róóósa!!’

Dat is de stem van Donna. Ze komt hard aanfietsen en valt bijna als ze eraf springt.

‘Zijn de jongens er al?’

‘Ik denk het niet.’

Ze gaan naar de kantine om te zien op wie ze vanmiddag rijden.

Bertil heeft Simba, ziet Rosa, zijzelf mag op Colorado en Donna heeft Tiptop.

‘Had jij liever Tiptop gehad?’ vraagt Donna.

Rosa maakt een weifelend gebaar. ‘Ik weet niet hoe Colorado is. Ik mis Tippie wel een beetje.’

‘Ik vind het juist leuk als ik een pony heb waar ik niet zo vaak op rij,’ zegt Donna.

‘Wie zit er op Dorrit?’

'Niemand. Ze loopt pas aan het eind van de middag.'

Ze gaan aan een tafeltje zitten wachten tot Sem en Bertil er zijn. Donna trommelt ongeduldig op het tafelblad.

'Ze moeten opschieten, anders heeft Bertil te weinig tijd om op te zadelen.'

Op hetzelfde moment komen de jongens binnen. Bertil heeft zoals gewoonlijk zijn cap al op en houdt zijn zweepje in zijn hand geklemd. Sem heeft een spijkerbroek aan en het sportjack dat hij altijd draagt.

'Laten we naar buiten gaan,' stelt hij voor.

Ze gaan naar de schuur waar het stro wordt bewaard. Achter de strobalen is een plek waar niemand ze kan zien. Ze leunen tegen de hoge stapel stro.

'Hoe gaan we het aanpakken?' vraagt Sem.

'Weet je,' begint Donna. 'Ik denk dat Gea op zaterdagochtend altijd hier is. En soms op woensdagmiddag. Op woensdag zijn er veel mensen, dan moet ze maar afwachten of ze alleen is met Zefir. Op zaterdagochtend niet. Dan is het stil.'

'Het is al een paar keer gebeurd dat Zefir op zaterdag heel gek deed,' legt Rosa uit. 'Karin was hier telkens om een uur of tien. Gea was dan al weg.'

'We kunnen niet te vroeg naar de manege gaan, want dan denkt Tamara dat wij iets doen wat niet mag,' zegt Sem.

'Rosa en ik hebben bedacht hoe we ongezien vlak bij haar kunnen komen,' zegt Donna. 'Dit is ons plan...'

Als ze alle vier weten wat ze volgende week zaterdag moeten doen, gaan ze naar de stal.

'Ik help jou met opzadelen,' zegt Sem tegen zijn buurjongen.

Bertil heeft een kleur van opwinding.

'Je moet wel rustig zijn, Bert, anders wordt je pony zenuwachtig. Wie heb je?'

'Hij heeft Simba,' zegt Donna.

Rosa en Donna gaan terug naar de kantine om naar de les te kijken.

'Wil je wat drinken?' biedt Donna aan. 'Ik heb geld van mijn vader gekregen.'

'Wanneer heb je hem gezien?'

'Maandag kwam hij na zijn werk naar het eetcafé. Hij bleef maar even, want hij moest naar huis. Anders krijgt hij op zijn kop van Chantal.'

'Wat zei hij?'

'Dat hij het jammer vond dat hij jou en mij niet had gezien, zondag. En dat hij hoopt dat je vrijdag meekomt en dat je dan ook blijft slapen.'

Rosa fronst haar wenkbrauwen.

'Je gaat toch niet het hele weekend naar hem toe?'

'Nee, natuurlijk niet! Alleen de vrijdagavond, anders mislukt ons plan!'

'Precies.'

'Maar je gaat toch wel mee, Roos?'

'Ja, natuurlijk!'

Donna gaat naar de bar om appelsap voor Rosa te bestellen en cassis voor zichzelf.

Rosa kan bijna niet stilzitten. Het is net of er achter haar ogen een vrolijk lampje gloeit. Ze heeft een druk leven, met afspraken. Ze heeft vrienden met wie ze spannende plannen uitvoert. En nu gaat ze ook nog voor de eerste keer op Colorado rijden. Het leven is vol avontuur.

Intussen zijn de ponykinderen van de beginnersles opgestegen. Ze stappen rond op de hoefslag.

'Bertil zit er netjes op, hè?' zegt Rosa.

'Hij is echt goed met pony's,' zegt Donna.

'Tamara zei ook dat hij handig is.'

'Wat bedoelde ze daarmee?'

'Geen idee. Hij is helemaal niet handig,' lacht Rosa. 'Hij

kan nog niet eens behoorlijk een hoef uitkrabben. En hij moet nog steeds worden geholpen met poetsen en opzadelen.'

'Maar hij zit wel mooi stil.'

'Ja. Hij houdt zijn handen veel beter op hun plek dan de anderen.'

Barbara is naar de kant van de bar gelopen waar hun tafeltje staat en kijkt met Rosa en Donna mee.

'Dat joch is goed,' zegt ze.

'Dat zeiden wij ook net,' zegt Donna.

'Zo verlegen als hij is,' gaat Barbara verder. 'Ik probeerde een gesprek met hem te beginnen, maar hij zei niks terug.'

'Hij zegt bijna nooit wat,' lacht Donna. 'Hij praat alleen tegen Rosa.'

'En tegen de pony's waarschijnlijk,' grinnikt Barbara.

Rosa draait zich een beetje van hen af. Ze vindt het niet leuk als Barbara grapjes over Bertil maakt. Hij is verlegen. Nou en? Zij is ook verlegen. Maar als Bertil bij een pony staat, lijkt het wel of hij hem betovert.

'Zullen we gaan poetsen?' stelt ze voor.

Donna staat op en loopt mee naar de stal. Zij gaat Tiptop poetsen. Rosa loopt door naar de boxen.

Karin is bij Zefir.

Colorado is inmiddels gewend dat er steeds andere mensen zijn box binnenkomen, maar hij vindt het niet leuk. Hij keert zich een beetje van Rosa af.

'Colorado? Wil je een stukje wortel?' vleit Rosa.

De pony draait zich weer om en neemt het schijfje wortel gulzig aan. Ze pakt haar poetsspullen en begint met zijn hoeven.

Met één oor luistert ze naar de geluiden die uit de box van Zefir komen. Maar het gaat goed. Pas op het laatst, als Rosa al klaar is met Colorado, hoort ze de stem van Karin: 'Hallo!'

Rosa doet net of ze het niet hoort. Ze heet geen 'hallo'.

‘Roos?’

Dat mogen alleen haar vrienden tegen haar zeggen.

Het gezicht van Karin verschijnt voor de box van Colorado.

‘Wil jij het hoofdstel doen? Hij steekt zijn hoofd in de lucht, zodat ik er niet bij kan.’

Rosa doet net of ze verbaasd is dat haar iets gevraagd wordt.

‘Heb je geen worteltje? Dan komt hij wel naar beneden.’

‘Ik had een stukje brood. Maar hij pakte het gauw uit mijn hand en toen legde hij zijn hoofd weer bij onze lieve heer op tafel.’

Die uitdrukking heeft Karin van Laura. Zij zegt dat altijd als een pony zijn hoofd omhoog steekt.

Rosa haalt haar schouders op.

‘Blijf jij dan even bij Colorado. Zorg dat de teugel niet over zijn oren glijdt als hij zijn hals omlaag doet.’

Karin komt gehoorzaam de box van Colorado binnen en gaat naast hem staan met één hand aan de teugel.

Rosa loopt naar Zefir. Het hoofdstel hangt aan de waterbak. Daar zou Laura kwaad om worden, tenminste wel toen Rosa nog de verzorgster was. Ze pakt het op en legt de teugel om Zefirs hals. Hij steekt inderdaad zijn hoofd in de lucht. Met haar vrije hand diept Rosa een stukje wortel op. Ze wacht rustig tot de pony zich ontspant. Dan vouwt ze haar vingers over de wortel heen zodat hij er niet bij kan.

Ze biedt het bit aan en friemelt met haar wijsvinger in zijn mondhoek. Zefir doet braaf zijn mond open en krijgt tegelijk met het bit zijn worteltje. Rosa gespt de riempjes dicht en roept Karin.

Op hetzelfde moment hoort ze Tamara roepen dat de pony’s naar de toegangsdeur van de rijbaan mogen komen. Snel wisselen ze van box en nemen de pony’s mee.

Het wordt een fijne les. Colorado is vlot en reageert goed op de aanwijzingen die Rosa geeft. In draf gooit hij hoog op, maar dat vindt ze niet erg. Hij heeft een heerlijke galop. Hij is een beetje springerig, maar niet zo erg als Dorrit. Aan het eind van de les geeft Axel haar een compliment.

Rosa's wangen gloeien. Ze heeft het zo druk met Colorado gehad, dat ze helemaal niet op Donna heeft gelet. Terwijl ze droogstappen draait Rosa zich naar haar om.

'Hoe ging Tiptop?'

'Hartstikke lekker,' lacht Donna. 'En jij?'

'Ook!'

Tegelijk kijken ze naar Karin. Die zit met een ontevreden gezicht op Zefir.

'Ik weet niet of ik met hem doorga,' zegt ze. 'Hij is wel erg verreden.'

Rosa en Donna kijken elkaar aan.

'Wat bedoel je?' vraagt Donna aan Karin.

'Hij is bonkig,' zegt Karin. 'Hij wil niet lopen en in galop luisterde hij helemaal niet naar mijn benen.'

'Dat ligt toch aan jou?' zegt Donna. 'Het is in ieder geval niet de schuld van die pony.'

'Wat weet jij daar nou van,' snauwt Karin. 'Jij kent hem helemaal niet. Jij bent maar een manegeruiter.'

Alles voor Zefir

'De nieuwe bijrijdster past wel bij Gea en Laura, vind je niet?' zegt Donna als ze in De Os aan hun vaste tafeltje zitten. Rosa heeft met Annet in de keuken groente gesneden. Donna moest huiswerk maken, dus hoefde ze niet mee te helpen.

Het is druk in het café. Aan de bar zitten drie mannen luid te praten. Ze drinken bier. Achter Rosa en Donna zitten vier vrouwen te gieren van de lach.

Emma heeft Rosa en Donna appelsap gebracht en een bordje spaghetti met pesto en geraspte kaas.

'Ik begrijp niks van Karin,' zegt Rosa met volle mond. 'Ze kan niks, ze moet overal hulp bij hebben en dan geeft ze jou een grote mond. Ze doet net of ze al jaren een eigen pony heeft!'

'Ik vond het wel grappig,' zegt Donna. 'Vandaag of morgen krijgt ze natuurlijk toch genoeg van Zefir en dan wordt ze weer manegeruiter. Dan zal ik haar wel even helpen herinneren aan wat ze vanmiddag zei.'

'Ik weet niet of ze hem opgeeft. Ze verbeeldt zich nu dat ze beter is dan wij. Dat vindt ze helemaal te gek.'

'Jij helpt haar telkens,' zegt Donna met gefronste wenkbrauwen. 'Waarom doe je dat eigenlijk?'

Rosa leunt met haar ellebogen op de tafel.

'Ja, gek hè? Ik zou net zo goed kunnen zeggen dat ze het maar lekker zelf moet uitzoeken.'

'Ja!'

'Maar dat soort dingen zeg ik nooit.'

'Je bent niet kattig genoeg, Roos. Ik zeg het altijd als ik ergens geen zin in heb.'

Rosa legt haar handen met gespreide vingers op de tafel.

'Ik weet niet eens of ik het echt vervelend vind om haar te helpen. Zefir opzadelen vind ik leuk. Ik doe het ook niet voor haar, ik doe het voor hem.'

'Zo was het ook toen je verzorgster was. Toen deed je het ook niet voor Gea en Laura.'

Rosa maakt een hulpeloos gebaar. 'Ik ben gek op Zefir.'

'Ja, en daar maken al die meiden misbruik van!'

'Moet ik hem dan laten stikken?'

'Nee, natuurlijk niet. Maar je mag wel wat lelijker tegen die Karin doen.'

Rosa schiet in de lach. 'Misschien moet ik oefenen, op jou bijvoorbeeld. Zal ik eens op jou gaan schelden?'

'Welja!'

Ze kijken elkaar aan en dan stikken ze ineens van het lachen.

Emma kijkt op.

'Hé, melige meiden! Maak niet zo'n herrie!'

Rosa houdt meteen op met lachen, maar Donna keert zich naar de bar.

'Mag je hier pas herrie maken als je dronken bent?'

Emma steekt een waarschuwende hand op. 'Niet zo bijdehand, hè!'

Donna steekt haar tong uit.

De deur van het café gaat open en er komen nog meer klanten binnen.

'Zo, hier is het lekker warm,' zegt een van hen en gaat aan de bar zitten. De anderen klimmen ook op een kruk.

Emma is meteen weer barkeepster.

'Goedenavond,' zegt ze beleefd. 'Wat zal het zijn?'

Donna en Rosa gaan met hun rug naar ze toe zitten.

'Zou jij in een bar willen werken?' fluistert Donna.

'Nee, ik word kokkin, dat weet je toch!' antwoordt Rosa.

'Moet je niet doen joh, dan moet je elke dag sperziebonen afhalen.' Donna trekt een vies gezicht.

'Wat ga jij dan worden?'

'Dierenarts.'

Rosa denkt na. Zou zij dat ook willen? Meteen ziet ze een aangereden hondje voor zich en weet ze: dat nooit.

'Ik zou dat niet durven,' zegt ze.

'Ik wel. Ik durf alles.'

Het is waar. Donna heeft ook hun plan voor aanstaande zaterdag bedacht. Dat had Rosa niet kunnen verzinnen. Ze ziet er ook een beetje tegenop. Maar ze doet het voor Zefir. En zonder haar zou Bertil niet mee durven te doen. Hij heeft een heel belangrijke rol. Zonder zijn speciale gave zou het hele plan mislukken.

Uit logeren

'Wat ga je doen bij Donna's vader?' vraagt Rosa's moeder op vrijdagochtend.

Ze zijn met zijn tweeën. Rosa's vader is naar zijn werk. Rosa staat op het punt om de deur uit te gaan. Ze wil graag vroeg op school zijn. Dan kan ze de cavia eten geven en hoeft ze niet tussen de kinderen te dringen om binnen te komen.

'Ik weet niet wat we gaan doen. Ik haal Donna op en dan fietsen we er samen naartoe. We slapen daar en op zaterdagochtend gaan we naar de manege. Pas daar mogen we onze rijkleren aantrekken. En de poetsspullen moeten in de garage, anders krijgt haar broertje.. dat ene jongetje astma.'

Ze vertelt er niet bij dat ze al om acht uur bij Donna's vader weg zullen gaan. Ze hebben om halfnegen bij de manege afgesproken. Dan hebben ze genoeg tijd om het plan te laten beginnen.

'Ik moet nu weg hoor!'

'Heb je alles bij je?' vraagt Rosa's moeder. 'Tandenborstel, pyjama, sleutel, mobieltje, schoon ondergoed, paardrijspullen. En als er iets is, als je het niet leuk vindt, bel je me maar. Heb je nog beltegoed?'

'Ja ja! Ik ga hoor! Dag!'

Eigenlijk heeft haar moeder gelijk, dat ze een beetje bezorgd is, denkt Rosa terwijl ze naar school fietst. Ze kent die vader helemaal niet. Chantal zal ze misschien niet zo aardig vinden. Maar ze is benieuwd naar de twee jongetjes.

Het is spannend om uit logeren te gaan. Ze doet het bijna nooit. Een enkele keer is ze bij haar oma en opa in Apeldoorn blijven slapen. Het zijn de ouders van haar moeder. De andere oma woont bij haar in de buurt. Daar bleef ze alleen slapen toen ze heel klein was.

Met Donna samen uit logeren gaan is leuk. Het is ook fijn dat ze morgen samen naar de manege gaan om...

Ze duwt de gedachte aan hun plan weg. Anders wordt ze zenuwachtig.

De hele dag zit ze te dromen in de klas. Daar merkt niemand iets van, want ze is altijd stil. Ze krijgt ook bijna nooit een beurt. De juf laat haar met rust. Haar werk is netjes en ze is niet lastig. Ze zit achterin, bij het raam. Het is soms net of ze niet bestaat.

Dat vindt ze niet erg. Haar echte leven is niet hier. Dat is bij de pony's.

En tegenwoordig bij haar vrienden. Haar ponyvrienden.

Ze zucht. Nog een paar uur, dan mag ze Donna gaan halen.

Vanuit school is het net even anders fietsen dan vanaf haar huis, maar ze kent de weg in de stad.

Als het eindelijk halfdrie is, weet ze niet hoe snel ze naar de fietsenstalling moet rennen om op weg te gaan.

Hijgend komt ze bij Donna's huis aan. Donna is nog maar net terug uit school. Ze is een beetje chagrijnig.

'Ik heb helemaal geen zin,' moppert ze. Annet is haar tas aan het inpakken.

'Mmm,' neuriet ze zachtjes.

'Ik heb geen zin!' roept Donna.

Annet kijkt op.

'Donna, je hebt bezoek,' zegt ze. 'Tegen mij mag je zeuren, maar tegen Rosa niet. Die kan het wel eens heel spannend vinden om bij iemand te logeren die ze niet kent. Als jij zo lelijk doet, durft ze misschien niet meer.'

Rosa krijgt een vuurrode kleur. Annet schijnt altijd precies te weten wat ze voelt.

'Sorry!' roept Donna en heft haar handen in de lucht. 'Ik bedoel er niks mee, Roos. Ik zeur altijd als ik naar mijn vader ga. Dat weet mijn moeder allang, maar jij nog niet. Ik kan enorm zeuren.'

Nu moet Rosa lachen.

'Ik vind het best eng,' geeft ze blozend toe. 'Vooral je... eh, Chantal.'

Donna knikt. 'Ze is vreselijk, maar tegen jou gaat ze helemaal poeslief doen. Dat weet ik nou al. Jij bent knap om te zien, daar houdt ze van. Ze had graag een knappe dochter gehad. En ik ben een dik propje met kort haar. Met mij kan ze niet winkelen of mijn haar leuk doen.'

'Met mij ook niet,' zegt Rosa met een vies gezicht. 'Ik winkel nóóít! En jij bent niet dik.'

'Onze Donna is een beetje mollig,' lacht Annet en knijpt Donna in haar wangen. Donna grinnikt.

'Ik vind chips lekker,' zegt ze. 'Daar word je dik van. Maar dit is babyvet hoor! Ik word later heel lang en slank.'

Rosa kijkt haar vriendin bewonderend aan. Donna denkt nooit stomme dingen over zichzelf, lijkt het wel. En ze is van niemand bang. Zo zou Rosa ook wel willen zijn, alleen dan liever niet mollig.

'Jullie moeten gaan,' zegt Annet. 'Anders heb je niets aan je avond. En ik ga nu de deur uit.'

Als Annet weg is trekt Donna weer een chagrijnig gezicht.

'Laten we maar gaan,' zucht ze.

Samen fietsen ze naar de buurt waar Donna's vader woont. De huizen zijn van rood baksteen en langs de muren groeit klimop. Tegen het huis van Donna's vader klimmen rozen langs het raam. De voordeur is van glanzend hout, met een koperen deurknop.

Donna belt aan en even later klinkt het gegil van kinderen. De deur vliegt open en daar zijn de twee stiefbroertjes. De ene vier, de andere zeven. Achter hen verschijnt een grote blonde vrouw. Ze heeft lichtblauwe oogschaduw op en donkere lippenstift.

'Pepijn, Michiel!' roept ze tegen de jongetjes. 'Rustig!'

'Zo,' zegt ze tegen Rosa. 'Welkom.'

Tegen Donna zegt ze niets. Rosa bloost zo erg dat de tranen in haar ogen springen.

'Hai,' zegt Donna, terwijl ze de jongetjes tegen zich aandrukt. 'Dit is dus Rosa.'

Ze wijst vaag naar Chantal.

'Chantal,' zegt ze.

De vrouw steekt haar hand naar Rosa uit.

Snel geeft Rosa haar een hand. Het gebaar mislukt een beetje. Ze vangt alleen de vingers van Chantal en voelt hoe de vrouw haar hand snel weer wegtrekt.

'Kom!' Donna geeft haar een duwtje in haar rug.

'Waar is papa?' vraagt ze bot.

Chantal houdt haar hoofd schuin en knijpt haar ogen een beetje dicht.

'Hallo, Donna,' zegt ze.

'Hai!' roept Donna. 'Waar is mijn vader?'

'Hij komt over een kwartiertje. Gaan jullie maar eerst naar jouw kamer Donna, en laat je vriendin zien waar ze vannacht slaapt. Dan wil ik dat jullie je even opfrissen na zo'n hele dag school. Je mag een douche nemen.' Dat laatste zegt ze tegen Rosa.

Rosa knikt. Ze staan nog steeds in de hal. Chantal doet een stap opzij en wijst naar de trap.

'Donna wijst de weg wel.'

Samen stommelen ze de trap op.

Donna's kamer is groot. De muur is zachtroze. De sprei op het brede bed is ook roze, met kleine witte roosjes. Er ligt geen speelgoed, er hangen geen posters aan de muur. Wel een schilderij van een bos rozen.

'Wat een mooie kamer,' zegt Rosa.

'Vind je? Ik mocht hem niet zelf inrichten. Maar ik heb lekker wel de grootste kamer,' zegt Donna. De jongetjes hebben elk een klein kamertje op de bovenste verdieping.

'Waar slapen je ouders dan?' Meteen breekt het zweet haar uit.

'Sorry!' kreunt ze. 'Ik bedoel je vader en zij...'

Donna lacht. 'Wat is ze erg hè? Ze slapen in de grote kamer hiernaast. De badkamer ligt ertussen. Maar wij moeten boven douchen, bij de jongens.'

Het ligt op Rosa's lippen om te vragen waarom, maar ze doet het niet.

'Ze wil geen kinderen in haar badkamer,' zegt Donna. 'Ze is bang dat ik haar badspullen gebruik of haar crèmes.'

'Dan mag ze wel blij zijn dat ze geen dochter heeft,' giechelt Rosa. 'Ik pik al mijn moeders crèmes. En wij gebruiken ook dezelfde shampoo. Mijn vader heeft een of andere mannenshampoo en ook andere zeep.'

'Kom, we gaan naar boven.' Donna neemt Rosa mee naar een kleine badkamer met blauwe en zwarte tegels. Daar wassen ze zich zo'n beetje bij de kraan en gaan dan terug naar Donna's kamer.

Als ze beneden komen is Donna's vader er. Met de ene arm omhelst hij Donna en met de andere trekt hij Rosa tegen zich aan.

'Ik ken je nog niet, maar een vriendin van mijn prinses is altijd welkom.' Hij lacht en bekijkt Donna.

'Zo, heerlijke dochter van me, hoe is het?'

Hij wacht het antwoord niet af en roept Chantal.

'Schat, heb jij iets te drinken voor ons?'

Chantal komt de kamer binnen met een groot dienblad.

Er staan vier glaasjes rode limonade op en een wijnkoeler met twee glazen.

'Mogen we chips?' vraagt Donna.

'Nee, jullie krijgen straks een paar toastjes. Gaan jullie maar bij de jongens zitten. Je vader mag eerst een glas met mij drinken. Daarna heeft hij tijd voor jou.'

De hele avond blijft Chantal zeggen wat er moet gebeuren. Ze wijst waar Rosa moet zitten aan tafel, ze schept het eten op en vraagt niet of Rosa van karbonade houdt.

Donna schuift het vlees meteen op het bord van haar vader. Dat durft Rosa niet. Ze eet wat groente en gebakken aardappelen. Van het vlees snijdt ze een stukje af en legt dat onder de overgebleven aardappelen. Chantal perst haar lippen op elkaar, ziet Rosa, maar ze zegt niets.

Aan tafel voert Donna's vader het hoogste woord en schreeuwen de jongetjes van alles. Chantal zegt de hele tijd wat ze moeten doen: Pepijn moet dooreten, Michiel moet recht zitten en niet zo knoeien met zijn broccoli.

Rosa zegt niets. Donna houdt ook haar mond en kijkt af en toe naar haar vader. Rosa ziet dat hij niet op zijn gemak is. Hij knipoogt wel steeds naar Donna, maar hij vraagt haar niets. Hij praat met Chantal over zijn werk.

Als hij ziet dat Rosa op hem let, glimlacht hij naar haar en knipoogt opnieuw naar Donna.

Rosa begrijpt wat Donna nu voelt. Die vader doet wel vrolijk, maar eigenlijk ziet hij zijn dochter niet eens. En Donna weet het. Rosa heeft zo'n medelijden met haar dat ze tranen in haar ogen voelt prikken. Ze neemt gauw een slokje water.

'Jij mag mij helpen met fruit schoonmaken,' zegt Chantal na het eten. Donna is naar boven gestuurd om de jongens voor te lezen. 'Ze krijgen nog een halve peer en een banaan voor ze hun tanden poetsen.'

In de keuken krijgt Rosa een mesje en twee schotels. Op elk bordje moet ze een halve peer en een paar stukjes banaan leggen.

Zwijgend doet ze wat haar wordt gevraagd. Was ze maar thuis, denkt ze. Maar dan is Donna hier helemaal alleen. Geen wonder dat ze nooit naar haar vader wil.

'Op welke school zit jij?' vraagt Chantal.

Rosa noemt de naam van haar school.

'O, dus jij zit niet bij Donna in de klas.'

'Nee.'

'Waar kennen jullie elkaar dan van?'

'Wij rijden samen paard,' zegt Rosa.

'Hoe lang kennen jullie elkaar al?'

Rosa denkt na. Donna en zij kennen elkaar eigenlijk al anderhalf jaar, van de woensdagmiddagles. Maar pas sinds Kerstmis vorig jaar zijn ze bevriend. Wat zou nu het goede antwoord zijn?

'Een jaar of zo,' zegt Rosa.

'Vreemd,' zegt Chantal. 'Donna heeft het nooit eerder over jou gehad.'

Rosa krijgt een kleur. Ze voelt dat het een onaardige opmerking van Chantal is, maar ze kan niet precies zeggen waarom. Wil Chantal doen alsof Donna hun vriendschap niet zo belangrijk vindt? Dat ze er anders wel over had gepraat? Even prikt het oude nare gevoel in Rosa's maag. Niemand geeft om haar.

Dan breekt ze met een ferm gebaar de schil van de banaan open. Donna en zij zijn vriendinnen. Daar kan niemand tussen komen en Chantal al helemaal niet.

Ontbijt

Rosa slaapt eigenlijk nog, maar er is iets raars. Een handje. Een handje trekt aan het dekbed.

'Donna!' klinkt de stem van Michiel.

'Dat is Donna niet,' zegt zijn broer. 'Het is dat meisje.'

Rosa gaat rechtop zitten en kijkt in de nieuwsgierige ogen van Michiel.

'Hai!' zegt ze. 'Wij slapen nog.'

'Wij niet,' zegt Pepijn.

'Pepijn, ga weg!' kreunt Donna.

Rosa kijkt op de wekkerradio naast het bed. Het is half-zeven.

Ze hebben niet lang geslapen. Gisteravond hebben Donna en zij tot kwart over twee liggen praten. Over het plan van vandaag natuurlijk.

En over Donna's vader, die alleen als Chantal er niet bij is tegen Donna praat.

'Aan tafel vroeg hij niks aan jou,' zei Rosa.

'Dat komt ook doordat de jongens zo druk zijn.'

'Ja,' zei Rosa. 'Maar het leek ook net of hij niet durfde.'

'Als hij iets tegen mij zegt, komt zij er altijd tussen,' zei Donna. 'Als we met z'n tweeën zijn, vraagt hij wel van alles.'

'Wat dan?'

'Hoe het op school gaat en in de manege. En hij vraagt naar Annet. Dat doet hij allemaal niet als Chantal erbij is. Toen jullie in de keuken stonden, gaf hij me ook geld. Dat doet hij ook altijd als zij er niet bij is.'

'Heb je hem verteld over ons plan?'

'Vind je dat erg?' had Donna gevraagd.

'Nee hoor. Wat zei hij?'

'Ik vertelde hoe we het gaan doen, met de mobiele telefoons en zo. Hij vond het geweldig. Dat zei hij, gewéldig!'

Bij de gedachte aan het plan, gaat Rosa rechtop zitten. Ze is een beetje zenuwachtig.

De jongens zijn inmiddels op bed gaan zitten en vechten met elkaar om de beste plek. Donna is nu ook helemaal wakker.

'Ga er eens af!' zegt ze. 'Ga maar naar beneden. Dan komen Rosa en ik cornflakes voor jullie maken.'

'En limonade,' zegt Pepijn.

'Je mag geen limonade,' zegt Michiel.

Rosa staat op.

'Ik doe maar even een spijkerbroek aan,' zegt ze. 'Dan verkleden we ons wel in de garage.'

Donna trekt een scheef gezicht.

'Als we de jongens rustig weten te houden, blijft Chantal liggen, hoop ik. Mijn vader slaapt uit. Die komt niet beneden.'

Rosa knikt. Ze heeft gisteravond al bedankt en een hand gegeven. Dat handen geven heeft ze van Donna afgekeken. Donna's vader hield haar hand heel lang vast.

'Dag meid!' riep hij. 'Kom maar gauw weer een keer logeren.'

Chantal zei niets.

'Wil jij nu onder de douche?' vraagt Donna.

'Nee, ik ga altijd pas als ik uit de manege kom.'

'Ik ook.'

Zo zacht mogelijk sluipen ze de trap af. Maar de broertjes hebben inmiddels ruzie over wie de afstandsbediening van de televisie mag vasthouden en zijn aan het schreeuwen. Nog voor Donna er iets aan heeft kunnen doen, klinkt de stem van Chantal op de trap: 'Jongens, kan dat wat stiller?'

Ze komt naar beneden en zwaait de deur van de kamer open. ‘Wat is dat hier voor een herrie? Donna, ga jij eens even cornflakes voor ze maken. Michiel, geef die afstandsbediening aan Pepijn. Pepijn, hou op met krijsen.’

Alleen Rosa krijgt geen opdracht. Ze staat bij het raam, zogenaamd naar buiten te kijken. Over een halfuur kunnen ze weg.

‘Wil jij thee?’ vraagt Chantal. ‘Kun je zelf al thee zetten?’

Als Rosa knikt, gaat ze in één adem door: ‘Je doet water in de waterkoker en als het kookt, spoel je eerst de theepot om. Donna wijst wel waar hij staat. Er zitten theezakjes in de blauwe voorraadbus. Niet langer dan vier minuten laten trekken.’

Rosa knijpt haar handen tot vuisten. Langzaam draait ze zich om en loopt naar het aanrecht. Maar Chantal heeft de waterkoker al gepakt en vult hem aan de kraan.

‘Donna, leg je plastic placemats op tafel voor de jongens? Ze knoeien nog zo.’

Rosa staat onhandig naast haar.

‘Laat maar, Roos, ik doe het wel,’ zegt Chantal. ‘Dat gaat sneller. Ga maar aan tafel zitten. Donna, zet je ook brood neer en jam?’

Zelf legt ze met snelle gebaren vier rieten placemats neer, messen en borden.

‘Leg maar bij iedere stoel een placemat, een bord en bestek,’ zegt ze tegen Rosa.

Rosa pakt de messen en aarzelt even.

‘Aan de rechterkant,’ klinkt het al.

Ze ontbijten met zijn vijven. Chantal laat haar blik voortdurend langs de placemats gaan om er op toe te zien dat de jongens netjes eten, Donna niet te dik boter op haar brood smeert en Rosa genoeg eet. Maar Rosa krijgt haar boterham bijna niet weg. Ze heeft een droge keel. Dat komt door Chantal en ook door het plan.

Zo hard ze kan probeert ze aan Zefir te denken. Ze stelt zich voor hoe de pony door hun plan weer rustig op stal zal staan, een beetje chagrijnig, maar toch heel lief.

De afrekening

Ze komen vrijwel gelijk met Sem en Bertil aan op de manege. Onderweg hebben ze de hele tijd Chantal nagedaan. Rosa is slap van het lachen. Donna kan haar stem precies nadoen en Rosa wist van alles wat ze deden een opdracht te maken.

'Donna, afstappen!' roept ze.

'Rosa, zeg die jongens gedag!' antwoordt Donna.

'Wat zijn jullie aan het doen?' vraagt Sem nieuwsgierig.

'Gek,' zegt Donna. 'Wij doen gek. Hé, ik hoop dat we op tijd zijn en dat er nog niemand is.'

Er staan geen fietsen. Tamara is er wel. Haar auto staat op het parkeerterrein.

'We moeten zorgen dat niemand ons ziet,' zegt Sem.

'Misschien moeten we de fietsen niet hier neerzetten,' zegt Rosa nadenkend.

Sem knikt. 'Slim van jou!'

Ze zetten de fietsen een straat verderop neer, bij een muur en lopen terug. Er is niets veranderd.

'We moeten opschieten,' zegt Donna zenuwachtig. 'Weet iedereen waar hij moet zijn?'

Bertil heeft nog niks gezegd.

'Gaat het wel?' vraagt Rosa bezorgd. Bertil knikt. Hij ziet een beetje wit.

Donna laat aan Bertil zien hoe hij het nummer moet bellen met de mobiele telefoon. 'Op het groene knopje drukken, dat weet je hè?'

Rosa geeft Bertil een hand.

Samen sluipen ze naar de stal, terwijl ze telkens om zich heen kijken of niemand hen ziet.

Ze hoeven niet bang te zijn. Op zaterdagochtend is het heel stil. Tamara voert de paarden om zeven uur en gaat dan op kantoor zitten tot halfnegen. Dan pas gaat ze naar de stallen. Axel komt om negen uur.

Zonder iets te zeggen gaat Bertil de box van Colorado in. Rosa blijft een paar seconden staan om te zien of de pony rustig blijft. Maar het is net of er alleen maar een muisje is binnengekropen. Colorado kijkt heel even op en eet dan verder. Rosa kijkt snel om zich heen of er niemand is en glipt de box van Ecuador binnen. Het grote paard tilt zijn hoofd op.

'Stil maar, grote schat,' fluistert Rosa.

Ecuador gaat zo ver mogelijk bij haar vandaan staan.

Ze gaat onder de voerbak zitten met gekruiste benen en luistert scherp. Als Gea nu maar komt. Anders zijn alle voorbereidingen voor niets geweest.

Rosa repeteert wat ze hebben afgesproken: Sem en Donna staan samen bij de strobalen, klaar om naar haar en Bertil toe te komen rennen.

Als Gea binnenkomt, kan Bertil dat horen en moet hij het toetsje met Sems nummer indrukken. Als Gea ook maar iets doet waar Zefir van schrikt, zal Rosa met haar mobiel ook Sem bellen. Dan kunnen ze met zijn vieren tegelijk bij Zefirs box zijn.

'Wat doen we als er niets gebeurt?' heeft Rosa van tevoren aan Donna gevraagd.

'Niks,' antwoordde Donna. 'Dan kunnen we niks doen.'

'Hoe vaak heb jij gemerkt dat Zefir raar deed?' vroeg Sem.

'De laatste weken was dat eigenlijk elke zaterdag.'

'Nou dan!' zei Donna.

'En Bertil had het meteen al gezien,' voegde Rosa eraantoe.

De tijd gaat langzaam. Rosa's hart bonkt. Was het allemaal maar vast achter de rug!

Ze is wel blij dat ze zelf niets tegen Gea hoeft te zeggen. Dat zullen Sem en Donna doen.

Dan hoort ze voetstappen komen. Het zweet breekt haar uit. Ze gaat op haar hurken zitten. De persoon van de voetstappen staat stil bij de kastjes.

Ecuador lijkt te merken hoe zenuwachtig ze is. Hij spant zijn spieren en hapt zichzelf. Rosa wil hem tot bedaren brengen maar juist nu mag ze niet bewegen.

De voetstappen komen dichterbij. Het kan niemand anders dan Gea zijn. Tamara klinkt anders, zwaarder. Bertil moet Sem nu gewaarschuwd hebben.

Daar is Gea!

Rosa hoort dat de boxdeur van Zefir opengaat.

'Opzij!' roept Gea hard.

Rosa's handen trillen. Ecuador maakt een snorkend geluid. Dat doen paarden als ze onrustig zijn. Hij krabt met zijn hoef over de grond. Zou Colorado kalm blijven? Rosa weet niet wat er in de box schuin tegenover die van Ecuador gebeurt.

'Terug!' schreeuwt Gea.

Dan klinken er ineens drie felle tikken.

'Rotbeest!' hoort ze Gea schelden.

Onmiddellijk komt Rosa overeind. Ecuador maakt een bange zijwaartse sprong. Wat nu? Ze kan hem niet zo laten staan. Ze moet hem geruststellen. Ze maakt zichzelf zo stil mogelijk en legt een trillende hand op zijn hals.

Ecuador hapt zichzelf een paar keer. Rosa moet de box uit. Met langzame stappen loopt ze naar de boxdeur, doet hem open, stapt naar buiten en schuift hem heel zacht dicht.

Weer klinken er zweepslagen.

'Ik zal je!' sist Gea.

Nu beweegt Rosa ineens heel snel. In drie stappen is ze bij Zefirs box. Er is geen tijd om te wachten tot Donna, Sem en

Bertil naast haar staan. De deur van Zefirs box staat open.
'Wat denk jij dat je staat te doen!' schreeuwt Rosa.
Gea schrikt zich een ongeluk. Ze draait zich met een ruk om naar Rosa. Haar mond valt open. Op dat moment duiken Sem en Donna naast Rosa op.
'Ze slaat hem!' roept Rosa. 'Ze heeft hem met de zweep afgetuigd, om niks!'

Gea heft haar hand op om Rosa ook een klap te geven, maar Sem is sneller. Hij grijpt de zweep en smijt hem met één beweging de gang in. Het volgende moment heeft hij Gea vast en sleurt haar de stal uit, naar buiten. Donna rent mee. Rosa staat een ogenblik besluiteloos stil.
Dan keert ze zich om naar Zefir, die doodsbang tegen de muur gedrukt staat. Ze kan het wit van zijn ogen zien.
'Stil maar,' fluistert ze, maar het helpt niet. Zefir is echt overstuur. Rosa sluit haar ogen. Wat moet ze doen? Ze hoort Donna tegen Gea schreeuwen, maar ze kan niet verstaan wat ze zegt. Dit is allemaal veel heftiger dan ze zich had voorgesteld.
Bertil! Waar is Bertil?
Met haar ogen op Zefir gericht, loopt ze achteruit zijn box uit. Ze schuift de deur zo langzaam mogelijk dicht, maar niet helemaal. Dan maakt ze de box van Colorado open. De pony staat met opgeheven hoofd.
Maar waar is Bertil? In de box is het donker, daardoor duurt het een paar seconden voor ze hem ziet. Hij zit in de hoek met opgetrokken knieën en zijn gezicht in zijn armen verborgen.
'Bertil kom!' zegt Rosa zacht. 'Zefir heeft je nodig.'
Ze gaat naar hem toe en trekt hem voorzichtig overeind.
Bertil protesteert niet. Hij heeft gehuild, ziet Rosa.
'Kom!'
Met vaste hand duwt ze hem de box van Zefir in. Bertil verandert op slag. Hij blijft doodstil staan en kijkt vaag

langs Zefir heen naar de muur. Dan drentelt hij iets dichterbij en gaat in het stro zitten. Rosa kijkt toe.

Zefir lijkt zich te ontspannen. Verbaasd brengt hij zijn snoet een klein stukje in de richting van het jongetje. Bertil steekt zijn hand uit.

Rosa voelt meteen of ze nog iets lekkers heeft. Er zit nog een half verdroogd schijfje wortel in haar zak. Ze legt het in Bertils uitgestrekte hand. Zefir laat zijn hoofd nog wat meer zakken en pakt het met zijn lippen aan.

Verder gebeurt er niets. Bertil doet niks speciaals. Hij praat niet, hij doet niks met zijn handen. Toch wordt Zefir nu heel snel rustig.

Zodra Rosa het gevoel heeft dat het kan, loopt ze voorzichtig naar Zefir toe en legt haar hand op zijn hals. De pony buigt zich meteen naar haar jaszak, legt zijn oren plat en zoekt of ze nog meer snoep heeft.

Rosa lacht.

'Sta maar op Bert,' zegt ze. 'Het is goed.'

Bertil staat op en streelt Zefir ook. Er klinken snelle voetstappen.

Donna en Sem komen hijgend in de deuropening staan. Zefir kijkt meteen chagrijnig, maar hij is niet echt bang.

'Je had niet gebeld,' zegt Sem.

'Hè?' vraagt Rosa verbaasd.

'Jij had mijn nummer ook moeten bellen,' legt Sem uit. 'Nu wisten Donna en ik niet of we al moesten komen.'

Rosa slaat haar hand voor haar mond.

'Helemaal vergeten!' zegt ze.

'Geeft niet,' lacht Donna.

'Hoe liep het nou af?' vraagt Rosa.

'We hebben haar weggejaagd,' zegt Sem. 'Ik heb haar een beetje door elkaar geschud. Ik heb gezegd dat ik haar te grazen zal nemen als ik haar nog één keer met een zweep zie. En dat we haar in de gaten houden.'

'Toen liep ze weg,' zegt Donna.

'Ik hoorde jou ook nog schreeuwen,' zegt Rosa nieuwsgierig.

'Ik zei dat ze de beste, de liefste en de leukste bijrijdster die er bestaat, heeft laten lopen voor een beginner die niks kan. Dat ze zelf ook een sukkel is. En dat ze moest kiezen: óf weer zelf op die pony, óf een behoorlijke bijrijdster. Maar volgens mij heeft ze me niet eens gehoord.'

'Dat stond daar maar te janken,' snuift Sem minachtend.

Bertil staat nog steeds bij Zefir, die zijn hoofd laat zakken en aan zijn stro begint te knabbelen.

Rosa draait zich naar hem toe.

'Je bent een echte paardenman, Bert,' zegt ze. 'Zonder jou was het niet goed afgelopen.'

Bertil geeft zoals gewoonlijk geen antwoord. Maar Rosa ziet zijn mondhoeken even omhoog krullen.

Sem en Donna hebben het ook gezien. Ze knipogen allebei naar Rosa. En Rosa knipoogt terug.

Aan de kletter gaan – Op hol slaan.

Aan de teugel lopen – De pony is op zijn gemak: buigt zijn hals, ontspant zijn kaakspieren en houdt het bit vast zonder te klemmen.

Aanspringen in galop – Eerste sprong om van draf in galop te komen.

Aansingelen – Straktrekken van de riem waarmee je het zadel vastzet (de singel).

Beugelriem – Riem waarmee de stijgbeugel (voetsteun) vastzit aan het zadel.

Bit – IJzeren mondstuk met aan beide kanten een ring, waaraan je teugels vastmaakt.

Bokken – Wild springen met de achterbenen omhoog.

Box – Kleine eigen ruimte voor een of twee pony's in de stal.

Binnenbak/-rijbaan – De ruimte in de manege waar je rijdt, de bodem bestaat uit stukjes leer, zaagsel, zand of een mix daarvan.

Buitenbak/-rijbaan – Rond of rechthoekig terrein van zand omheind door balken of lint.

Draf – Middelste gang; rechtsvoor en linksachter tegelijk, een zweefmoment, linksvoor en rechtsachter tegelijk, zweefmoment enz.

Droogstappen – Rustig uitstappen na een rit.

Drukkingen – Wonden veroorzaakt doordat het zadel over de huid wrijft.

Flank – Zijkant van de buik tussen de ribben en de heup.

Galop – Snelste gang van een pony, waarbij één voorbeen naar voren grijpt.

Groom – Verzorger van je pony, die alles klaarzet en opruimt.

Halster – Simpel hoofdstel zonder bit met een ring waaraan je een touw kunt bevestigen als je de pony vast wilt zetten.

Hand – Richting waarin je rijdt. Ga je linksom, dan rij je op de linkerhand. Je kunt 'door een S van hand veranderen' door halverwege de lange zijde over te steken en aan de andere kant in dezelfde richting verder te rijden.

Hoefslag – Spoor langs de wanden van de rijbaan. Er is ook nog een binnenhoefslag, op ongeveer 1 1/2 meter van de wanden.

Hoeven uitkrabben – Hoefzool schoonmaken met een hoevenkrabber.

Hoofdstel – Tuig met twee ringen aan het bit waaraan je de teugels vastgespt, zodat je contact houdt met de mond van de pony.

Hulp – Tekens waarmee je een opdracht geeft, met je billen, kuiten of handen.

Kreupel – Onregelmatig lopen door pijn in de rug, schouder of benen.

Lichtrijden – Tijdens de draf meeveren in het ritme en daarbij uit het zadel komen.

Longeren – Pony of paard aan de longe (lange lijn) in een cirkel om je heen laten lopen.

Paddock – Kleine omheinde buitenbak voor longeren of de pony loslaten.

Rosborstel – Borstel waarmee je draaiende bewegingen maakt om het ergste vuil uit de vacht te krijgen.

Stalondeugd – Verveeld gedrag van pony's in de stal, bijvoorbeeld heen en weer wiegen of in de voerbak bijten. Net zoiets als nagelbijten van mensen.

Stand – De lange rij pony's op stal.

Volte – Cirkel of ronde figuur die je rijdt in de rijbaan; een grote volte over de hele of een kleine volte over de halve rijbaan.

Zweep – Stokje om met kleine tikjes je pony te corrigeren.

En de winnaar is: Colorado!

Heb je dit boek uit? Dan heb je ook gelezen over Colorado. Colorado bestaat echt. Hij heeft de ponywedstrijd gewonnen! Anne Hendrikx uit Malden stuurde zijn foto in en won een rol voor hem in dit tweede boek over Rosa.

Is jouw pony ook de mooiste?

Win een rol in het derde boek over Rosa!

Wat moet je doen?

1 Zet je pony op de foto.

2 Stuur of mail deze voor 1 juli 2010 naar:

Uitgeverij Leopold – PONYWEDSTRIJD
Postbus 3879
1001 AR Amsterdam

of naar: promotie@leopold.nl
Tik in het onderwerpvakje: PONYWEDSTRIJD

3 Vergeet niet te vermelden:

– Jouw naam en de naam van je pony
– Je leeftijd
– Adres, postcode en woonplaats

Yvonne Kroonenberg kiest de allermooiste!
Deze pony krijgt een echte rol in het derde boek over Rosa.

De 10 leukste, liefste, mooiste inzendingen krijgen een gesigneerd boek.